© 1992, Editions Glénat
BP 177, 38008 Grenoble Cedex
Tous droits réservés pour tous pays.
ISBN 2.7234.1421.3
Dépôt légal : août 1992

VEUVE CLICQUOT

LA GRANDE DAME DE LA CHAMPAGNE

FRÉDÉRIQUE CRESTIN-BILLET
PHOTOGRAPHIES :
JEAN-PAUL PAIREAULT

Glénat

SOMMAIRE

PRÉFACE

Il y a toujours un risque à tenter de connaître la source des légendes : le temps, parfois, embellit les disparus.

Pourtant, lorsque Frédérique Crestin-Billet m'a annoncé son projet de consacrer un ouvrage à Madame Clicquot, j'ai deviné que le fonds d'archives accumulées (et miraculeusement conservées) par cette grande maison lui révélerait au contraire un personnage complexe et fascinant. Les légendes et les mythologies ne peuvent transmettre que des croquis trop simplifiées dont il faut, lorsque l'exercice est possible, raviver les couleurs.

Ce livre a l'immense mérite de mettre en lumière non seulement la Grande Dame de la Champagne, mais aussi son cadre de vie, sa famille, la Champagne et l'Europe entière secouée par toutes sortes de guerres et d'événements qui sont devenus l'Histoire.

En parcourant ces pages, on comprend mieux que l'immense célébrité de "la Veuve" n'est pas le fruit du hasard, mais bien le sillage laissé par une femme d'exception sur son époque, et sur la nôtre. Elle est devenue, ainsi, un point de repère culturel.

Joseph HENRIOT
Président directeur général
Veuve Clicquot Ponsardin

CHAPITRE 1 : MADAME CLICQUOT

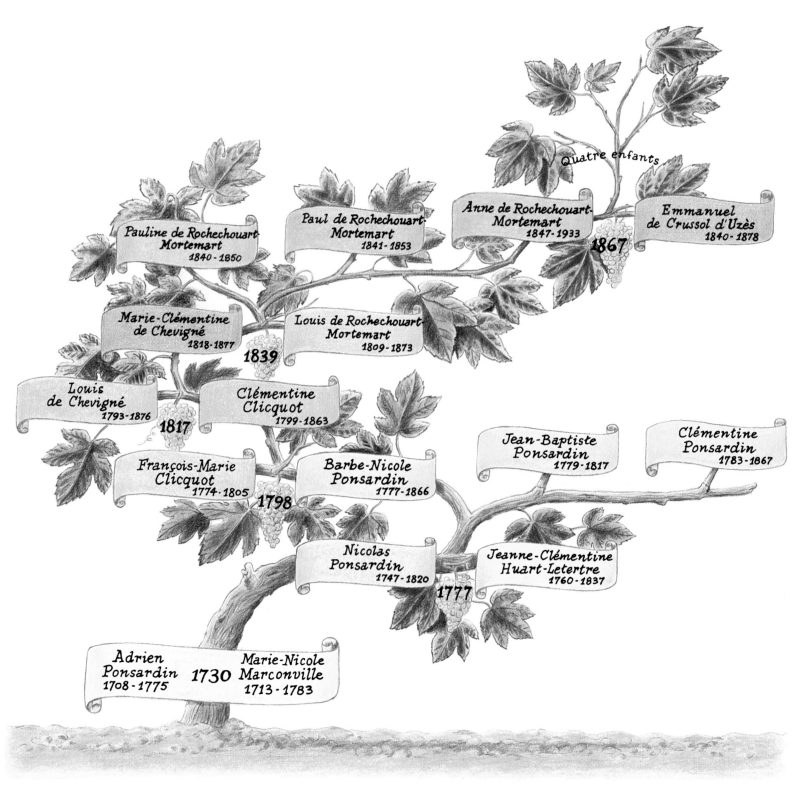

Quatre enfants

Pauline de Rochechouart-
Mortemart
1840-1850

Paul de Rochechouart-
Mortemart
1841-1853

Anne de Rochechouart-
Mortemart
1847-1933

Emmanuel
de Crussol d'Uzès
1840-1878

1867

Marie-Clémentine
de Chevigné
1818-1877

Louis de Rochechouart-
Mortemart
1809-1873

1839

Louis
de Chevigné
1793-1876

Clémentine
Clicquot
1799-1863

1817

Jean-Baptiste
Ponsardin
1779-1817

Clémentine
Ponsardin
1783-1867

François-Marie
Clicquot
1774-1805

Barbe-Nicole
Ponsardin
1777-1866

1798

Nicolas
Ponsardin
1747-1820

Jeanne-Clémentine
Huart-Letertre
1760-1837

1777

Adrien
Ponsardin
1708-1775

1730

Marie-Nicole
Marconville
1713-1783

C'est le 22 octobre 1747 que naît Ponce-Jean-Nicolas-Philippe Ponsardin, fils d'Adrien Ponsardin et de Marie-Nicole Marconville. L'Histoire, réductrice, ne retiendra que Nicolas de cette kyrielle de prénoms. Nicolas Ponsardin suivra d'abord les cours du collège des Bons-Enfants de Reims et, non moins classiquement, entrera à la faculté de droit pour en sortir un peu plus tard, en juillet 1776, licence en poche.

Nicolas Ponsardin reprend alors l'affaire familiale de tissage et de fabrication d'étoffes, fondée par son père en 1728. Très tôt, l'homme d'affaires perce sous l'héritier. Nicolas Ponsardin va considérablement développer cette manufacture, forçant ainsi l'admiration du subdélégué de l'Intendance de Champagne, qui écrit en 1788 : "... Depuis 1728, époque de l'établissement du père du sieur Ponsardin, ce fils a progressivement augmenté et enfin doublé le nombre de ses métiers (à tisser). (...) il vend pour environ 10 000 livres aux négociants de la ville et pour 30 000 livres au-dehors, notamment pour la ville de Lyon. Sa fabrication jouit d'une préférence méritée dans presque toutes les espèces de la manufacture. Cet estimable fabricant soutient le nombre constant de ses ouvriers au nombre de mille..." Mais, bien avant ce compliment officiel, Nicolas Ponsardin avait déjà été remarqué. A vingt-huit ans, il fait partie des personnages de distinction choisis pour complimenter Louis XVI, venu se faire sacrer à Reims. Première rencontre avec le faste, le pouvoir... et l'onction...

En 1777, Nicolas Ponsardin a trente ans. Année importante pour lui. Tout d'abord, il se marie avec Clémentine Huart-Le Tertre. Par ailleurs, sa mère, devenue veuve, acquiert en juillet l'immeuble sis au 10 de la rue Cérès, emplacement du futur hôtel Ponsardin. Importante, enfin et surtout, par la naissance, le 16 décembre, de sa première fille, Barbe-Nicole, future Madame Clicquot. Deux autres enfants suivront, Jean-Baptiste (1779-1817) et Clémentine (1783-1867).

Membre du Conseil de ville lorsque la Révolution commence, Nicolas Ponsardin devient membre du Club des Jacobins. L'état d'esprit des Jacobins rémois était bien éloigné des idées du Club de Paris : "La révolution à Reims fut relativement calme et modérée, et cette modération fut certainement due, pour une large part, à l'influence de ces bourgeois d'Ancien Régime qui, entrés assez vite dans les clubs révolutionnaires, usèrent de cette influence, qui était grande, pour écarter, autant que possible, toute violence", ainsi que le confirme Georges Lallemand. Homme d'action, Nicolas Ponsardin passait son temps à trouver du travail aux ouvriers et à soulager la misère à travers les différents comités dont il fit partie. Comme bon nombre de ses concitoyens, Nicolas Ponsardin entrevit dans la Révolution, non l'occasion d'abolir la royauté, mais le moyen d'en finir avec certains privilèges devenus surannés.

Adrien Ponsardin, le père de Nicolas Ponsardin, comptait déjà parmi les notables de la ville de Reims : il fut Contrôleur de la Communauté des fabricants et Receveur fiscal de sa paroisse.

Sur le plan des affaires, l'intelligence et la vivacité d'esprit de Nicolas Ponsardin sont évidentes. A ces deux qualités, il faut ajouter un grand sens de la charité, envers ses employés en particulier, et envers les ouvriers de la ville de Reims en général. Cette propension naturelle à venir en aide aux moins bien lotis que lui, doublée d'un esprit tout à la fois libéral et modéré, dicta la carrière politique de Nicolas Ponsardin.

Le baron Ponsardin s'était choisi des armes parlantes : dans le bas de l'écusson, couronné d'un tortil de baron, figure un pont à trois arches, symbolisant vraisemblablement ses trois enfants. Au-dessus nage une sardine, le tout surmonté d'un mur crénelé, signe distinctif des barons maires de villes. Un pont et une sardine : Ponsardin.

Le 16 août 1849, le conseil municipal donna le nom du baron Ponsardin à l'une des plus longues rues de la ville.

Plus tard, les convulsions révolutionnaires éteintes, Nicolas Ponsardin emboîtera le pas à l'opinion bourgeoise de Reims et n'hésitera pas à participer aux préparatifs des festivités prévues en l'honneur de la visite à Reims du Premier consul et de Madame Bonaparte en 1803. Et il le fit si bien qu'il les hébergea tous deux dans son hôtel de la rue Cérès. Par la suite, nommé maire par décret impérial (1810), il fait partie de la députation envoyée en 1813 auprès de l'impératrice Marie-Louise pour lui offrir de l'argent et des hommes afin de permettre à l'Empereur de reconstituer son armée. Un titre de baron d'Empire vint récompenser un tel dévouement !

On ne peut guère reprocher au baron Ponsardin ses "fidélités successives"; quel maire, quel haut fonctionnaire n'a pas, à cette époque, dans l'intérêt des populations dont il avait la charge, tout simplement suivi le mouvement ? En revanche, on se perd en conjectures sur la très discutable décision qu'il prit, en pleine Campagne de France, de partir se réfugier au Mans, en février 1814. Reims est envahie par les troupes alliées, puis reprise par Napoléon le 13 mars. Monsieur le maire est absent, il s'est de lui-même mis en congé, à cent lieues de sa bonne ville de Reims. On ne sut jamais pourquoi. Nicolas Ponsardin réapparaît lors de l'abdication de l'Empereur. La Restauration des Bourbons le retrouve royaliste. Surviennent les

Cent-Jours : il redevient bonapartiste. Il se stabilise enfin en prêtant serment au roi, en tant que maire, fonction qu'il occupera jusqu'à sa mort en 1820.

"Nous croyons donc, écrira Georges Lallemand, qu'on peut considérer le baron Ponsardin comme un homme remarquablement intelligent, ayant le goût de l'autorité, du pouvoir, et le désir de paraître, comme un manieur d'hommes et un manieur d'argent, expert à se tirer d'affaire dans les moments difficiles, ondoyant et souple dans ses convictions." Etant donné l'époque instable et agitée, la population rémoise ne lui tint pas rigueur de sa grande ductilité politique. Elle garda en revanche de lui le souvenir de ce qui la touchait quotidiennement : son intégrité, son dévouement envers elle et sa justice à la présidence du tribunal de commerce.

Nicolas Ponsardin fut enterré en grande pompe le 27 octobre 1820. Lors du discours de succession qu'il prononça à la chambre de commerce trois jours plus tard, Monsieur Ruinart de Brimont fit un éloge appuyé à son prédécesseur : "Toutes les belles qualités, qui ne sont chez la plupart des hommes que le fruit du temps, devançaient chez Monsieur Ponsardin les années (…). De quelque apparence que la mauvaise foi pût se revêtir, il savait tout de suite en pénétrer les détours ; un seul coup d'œil lui faisait d'abord démêler le juste de l'injuste ; sa profonde instruction et son austère impartialité, en rassurant le bon, en imposaient au méchant."

Georges Lallemand résume ainsi la vie du baron Ponsardin : "Il connut les honneurs, subit les jalousies, affronta les critiques ; il laisse à la postérité le souvenir d'un très grand maire, d'un grand président de la chambre de commerce et d'un grand animateur de l'industrie rémoise. Nous pouvons lui pardonner quelques erreurs et lui accorder sans réserve notre considération et notre estime."

Pour garder un souvenir de la visite que fit Bonaparte à l'hôtel Ponsardin en 1803, Nicolas Ponsardin fit graver, sous un portrait du Premier consul, dix vers dont il était l'auteur :
"La Corse est mon pays, la France est mon séjour,
A travers mille feux, j'ai dompté l'Italie,
Parcourant en vainqueur les peuples tour à tour,
J'étonnai l'univers, l'Afrique et la Syrie,
J'ai franchi comme un foudre, et les monts et les mers,
Les fleuves, les rochers, les chaleurs, les hivers.
Les troupes, les combats, tout cède à mon courage.
Thémis revient dicter ses bienfaisantes lois.
La discorde en fureur, s'éloigne de la terre.
Après avoir remis la France dans ses droits,
Il ne me reste plus qu'à dompter l'Angleterre."
Bonaparte aurait dit : "Qu'on enlève le portrait, ces vers sont trop flatteurs."

Le baron Ponsardin, par Léon Job. Ce portrait fut offert par Madame Clicquot à la ville de Reims en 1853. Il fait actuellement partie de la collection de la chambre de commerce.

La mère de la future Madame Clicquot, la baronne Ponsardin, était d'une tout autre trempe que son mari. C'est du moins ce que l'on peut déduire de la quasi-inexistence de traces laissées par elle. Née le 12 octobre 1760, Jeanne-Clémentine Huart-Le Tertre avait épousé Nicolas Ponsardin le 28 janvier 1777. Mère à dix-sept ans, on sait aussi qu'elle était fine, assez petite et relativement réservée.

Dans ses souvenirs, son arrière-petite-fille, l'objective mais peu complaisante Madame Maldan, la décrit ainsi : "De cette aïeule, il reste un portrait. Dans un costume du XVIIIᵉ siècle, avec la haute coiffure poudrée, le fichu de mousseline, tenant à la main, selon la manière précieuse de l'époque, une rose dont elle respire éternellement le parfum, elle demeure pour ses descendants "la grand-mère à la rose". Un portrait, mais pas de souvenirs! On ne peut mieux décrire l'évanescence de son influence. Jusqu'au tableau lui-même qui disparut dans l'incendie de la maison Barrachin de la rue Cérès, lors des

L'hôtel Ponsardin. Madame Clicquot n'était encore qu'une petite fille lors des réceptions qu'y donnaient ses parents.

bombardements de la Première Guerre mondiale. Madame Nicolas Ponsardin, veuve en 1820, passa les dix-sept dernières années de sa vie entre Paris et Reims, où elle s'éteignit en 1837, à l'âge de soixante-dix-sept ans.

A l'évidence, Madame Clicquot a eu peu de points communs avec sa mère. Les traits de son visage, étonnamment ressemblant à ceux du baron Ponsardin, ses dispositions de caractère la rendent très proche de son père. En revanche, Clémentine de Chevigné, sa fille, puis Clémentine de Rochechouart, sa petite-fille, semblent avoir hérité de la limpidité de la bonne Jeanne-Clémentine Ponsardin.

Barbe-Nicole n'eut qu'un frère, Jean-Baptiste, né le 20 octobre 1779, qui épousa, à l'âge de vingt ans, Thérèse Pinchart, jeune veuve de Jean-Louis Doé de Maindreville. Un seul enfant naîtra de ce mariage, Adrien Ponsardin, qui disparut en mai 1826, victime d'un chien enragé. Suite à ce triste événement survenu à son propre neveu, Madame Clicquot garda toute sa vie une aversion contre tous les représentants de la gent canine.

Fidèle à la tradition familiale, Jean-Baptiste Ponsardin possédait, en association avec Monsieur Cockerill, une importante manufacture de filature qui se trouvait à Saint-Brice, dans un petit village près de Reims. Cette manufacture fut entièrement détruite lors de l'occupation russe en mars 1814.

A cette même date (du 14 au 16 mars 1814), Napoléon, durant la campagne de France, revient à Reims. Faute de pouvoir y retrouver le maire, Nicolas Ponsardin, parti au Mans réfléchir sur les vicissitudes de la guerre, l'Empereur dut se contenter du fils, Jean-Baptiste Ponsardin, qui l'hébergea dans sa belle maison de la rue de Vesle. Et là, conformément à un charmant usage voulant que l'hôtesse d'un souverain préside elle-même

à ce détail, Madame Jean-Baptiste Ponsardin avait, de ses mains, empli du plus fin duvet l'oreiller de l'Empereur. Délicate attention envers une tête lourde d'écrasants soucis!

Jean-Baptiste Ponsardin quitta cette terre le 4 août 1817, à l'âge de trente-huit ans, quelques semaines avant le mariage de sa nièce, Clémentine Clicquot.

Deuxième fille du baron Ponsardin, Clémentine était de six ans la cadette de Madame Clicquot. C'est Clémentine, et non Madame Clicquot, comme le déclarent plusieurs ouvrages, qui fut, au début de la tourmente révolutionnaire, cachée chez une couturière du quartier Saint-Rémi, à Reims. Pour les parents, l'angoisse était de voir les jeunes filles réquisitionnées pour les fameux cortèges de la déesse Raison. Cortèges où les occasions de perdre cette dernière n'étaient pas rares…

En 1800, à l'âge de dix-sept ans, Clémentine Ponsardin épousa un jeune veuf, Jean-Nicolas Barrachin, né le 16 avril 1774. Le mariage eut lieu à 5 heures du matin en la cathédrale, qui n'était encore qu'officieusement rendue au culte. Elle eut trois enfants, Augustine en 1803, Marcel en 1804 et Balsamie en 1805, qu'elle éleva en même

temps qu'Augustin, petit garçon né du premier mariage de son mari, en 1796, avec Charlotte Raux. Ils vécurent rue Cérès, dans la maison familiale des Barrachin, à deux pas de l'hôtel Ponsardin. Excellente mère de famille, elle participait également à la vie mondaine de Reims. Elle comptait parmi les femmes élégantes de la société rémoise, tout le contraire de sa sœur. Si coquette même que, lorsqu'elle partait en villégiature à Cormontreuil pendant les mois d'été, elle faisait venir son coiffeur de Reims. "Sa taille a de la prestance, son visage doux et régulier, encadré de papillotes "à l'anglaise", s'abrite sous une coiffure nuageuse de tulle blanc et de rubans bleu ciel; sa robe de soie brune à taille courte garde quelque chose des modes "Empire" de sa jeunesse. Grand-Mère a été belle…", dit Madame Maldan dans ses souvenirs.

Clémentine Barrachin perdit son mari en mars 1831, des suites d'une chute de cheval. Difficilement consolable, elle mena une vie assez retirée rue Cérès, entourée de ses enfants et petits-enfants. Elle s'éteignit en 1867, un an après sa sœur, Madame Clicquot.

La maison de Jean-Baptiste Ponsardin, qui se trouvait au 18 de la rue de Vesle et où logea Bonaparte lors de son deuxième séjour à Reims.

Le lit où coucha Bonaparte lorsqu'il fut reçu par Monsieur et Madame Jean-Baptiste Ponsardin. C'est pour ce lit que la maîtresse de maison emplit elle-même un oreiller du plus fin duvet…

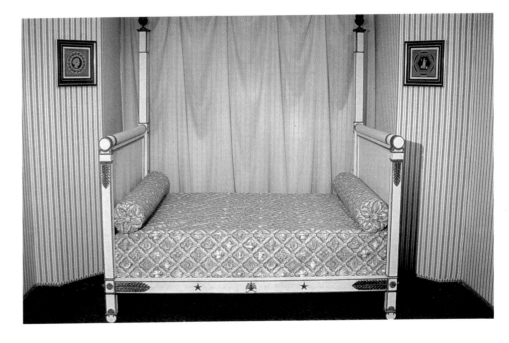

L'emplacement sur lequel est construit l'hôtel Ponsardin, qui est actuellement la chambre de commerce de Reims, fut acheté le 2 juillet 1777 par Marie-Nicole Ponsardin-Marconville, veuve d'Adrien Ponsardin et mère de Nicolas Ponsardin. Il s'agissait alors d'une maison de grande taille, mais d'aspect plutôt simple, qui avait appartenu au sieur Lespagnol-Devillette, et dans laquelle naquit Madame Clicquot, le 16 décembre 1777, soit quelques mois après cette acquisition. A la suite du décès de sa mère, en 1783, Nicolas Ponsardin entreprit la construction du magnifique immeuble actuel. La légende veut que ce dernier, un peu confus des sommes englouties dans cette construction, en fît brûler l'ensemble des plans et devis. En réalité, et comme le montre la disposition des lieux, l'hôtel ne fut jamais totalement achevé.

L'hôtel Ponsardin, aussi bien par son architecture extérieure que par la décoration intérieure, fait preuve d'un goût très sûr et très raffiné, ainsi que les décrit Pierre Delautel, conférencier de la Société des Amis du Vieux Reims : " L'habitation de Nicolas Ponsardin, établie sur de larges proportions, dessinée à la plus belle période de style Louis XVI, ne manquait pas d'affecter une noble et froide simplicité de façade, mais s'enorgueillissait, par contraste, de ses très élégants salons du rez-de-chaussée, dont les fines boiseries étaient sculptées de motifs remarquables et les panneaux tendus de tapisseries. On aimait à citer, parmi les plus jolies pièces d'un ameublement somptueux, deux vastes consoles fixes d'un bon dessin et merveilleusement ciselées, ainsi que toute une série de sièges au point de Beauvais, représentant les fables de La Fontaine. "

C'est à l'hôtel Ponsardin que furent accueillis, en 1803, Bonaparte et Joséphine lors de leur première visite à Reims. On ne sait malheureusement pas dans quelle pièce ils furent installés.

Fronton d'une fenêtre donnant sur la rue Cérès : comme d'autres détails, celui-ci fut ajouté au moment de la restauration complète du bâtiment qui eut lieu dans les années 1930.

Après la mort du baron Ponsardin, en 1820, l'hôtel fut habité par sa veuve, puis échut en 1837 à Madame Clicquot qui, quittant l'hôtel Le Vergeur, vint s'y installer avec sa famille. A cette époque, le "petit château" de Boursault avait déjà été acheté, mais le "château neuf" n'était pas encore construit, et la vie se partageait entre la campagne et l'hôtel Ponsardin. Dans ce dernier se déroulaient des réceptions, dîners et bals savamment orchestrés par Louis de Chevigné : "... Le reste de l'hiver, je le passerai à Reims où je donnerai une fête ou deux pour amuser nos bons Rémois qui affectionnent beaucoup Monsieur de Chevigné et qui les aime aussi beau-

coup", écrit Madame Clicquot à l'une de ses cousines. Il est certain que la position de plus en plus en vue de Madame Clicquot, sa fortune grandissante et le fait d'occuper l'une des plus belles maisons de la ville l'obligeaient à avoir un train de vie relativement mondain, ce qui n'était pas pour déplaire à son gendre. Elle s'en plaint par moments, toujours à l'une de ses cousines : "Je regrette presque d'avoir la maison de mon père ce qui me force d'avoir souvent du monde, dont je ne me soucie guère", ou encore : "Nous avons dans deux jours l'enterrement du général Drouet, et j'ai pour ma part à loger deux généraux, deux aides de camp et la suite."

Le large péristyle par lequel se terminait la "Salle de la Bourse".

Après la mort de Madame Clicquot, en 1866, l'hôtel fut habité par Louis de Chevigné, déjà veuf depuis trois années. A cette époque, les réceptions à l'hôtel Ponsardin étaient devenues plus familiales, mais gardaient malgré tout un certain lustre : "Il (le comte de Chevigné) aimait à réunir très souvent la famille, tantôt dans l'intimité, tantôt en réceptions plus solennelles. Ces jours-là, on pouvait admirer toute la belle ordonnance d'un service "à la française". La grande table s'ornait de réchauds d'argent, supportant les quatre "entrées". Les faisans, artistement parés de leur plumage, dressaient fièrement la tête, et les majestueux dindons étalaient leurs jabots bourrés de truffes. Les mets étaient fins et délicats. Autour de la table, évoluaient les serveurs en livrée vert sombre et gantés "de blanc"; ils marchaient sans bruit sur les épais tapis", raconte Madame Maldan, une nièce de Madame Clicquot. C'est rue Cérès où, dit-on, il avait composé la plus grande partie de ses *Contes rémois,* que Louis de Chevigné s'éteignit le 19 novembre 1876.

Après Louis de Chevigné, l'hôtel Ponsardin appartint durant une année à sa fille, Marie-Clémentine de Mortemart, pour revenir en 1877 à la duchesse d'Uzès, fille de Marie-Clémentine. Pour cette dernière, la maison familiale n'était qu'une demeure de plus. Et encore, la plus modeste, en regard des magnifiques propriétés lui

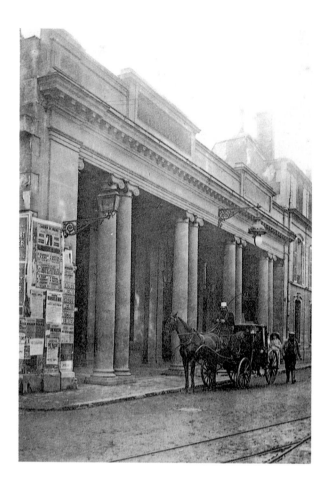

Une des deux magnifiques consoles faisant partie du mobilier d'origine de l'hôtel.

venant de son époux. La duchesse d'Uzès décida donc de vendre l'hôtel Ponsardin. Elle confia cette mission à Edouard Werlé. L'acte fut signé le 26 avril 1880 pour la somme de 225 000 francs, l'acquéreur étant la chambre de commerce de Reims.

Un peu inquiète de supporter en totalité un tel investissement, la chambre de commerce ne fut pas seule à s'installer dans l'hôtel. On créa aussi une Bourse du commerce, et l'on profita de l'occasion pour rapprocher les services des Postes et Télécommunications de ses usagers les plus importants. La lustrine succéda alors à la mousseline, et les parfums capiteux d'antan laissèrent la place aux fumets moins glorieux d'obscurs petits labeurs.

L'esprit des lieux blessé, on s'attaqua au corps. Sur la façade de la rue Cérès fut ajoutée une grande halle vitrée qui abritait les guichets de la poste (!). En prolongement, fut construite une grande salle, dite "Salle de la Bourse", qui se terminait par un large péristyle bordé de colonnes et surmonté d'un chapiteau... En bref, des stratifications de béton et des poutrelles vinrent fort malencontreusement à bout des anciennes et magnifiques perspectives.

Durant la Première Guerre mondiale, l'hôtel Ponsardin fut endommagé, mais, par un hasard extraordinaire, échappa aux flammes qui détruisirent l'ensemble du quartier. Les salons du rez-de-chaussée furent épargnés grâce à une carapace de matériaux divers superposés aux parquets anciens et destinée à protéger un central téléphonique installé par l'armée dans les caves. Un seul panneau de boiserie sculptée fut éraflé par un éclat d'obus.

A l'étroit dans ces lieux historiques peu conformes à ses missions, l'administration postale se décida à déménager en 1928. L'état de vétusté des locaux qu'elle laissait, principalement des verrières soutenues par des colonnes de fonte, imposait leur démolition. Dans le même temps, un élargissement de la rue Cérès fut en-

trepris. Il eut pour effet d'entraîner la disparition pure et simple du péristyle abusivement rajouté. Profitant de ces circonstances, la chambre de commerce, sous la conduite de Bertrand de Mun, gendre d'Alfred Werlé, qui en était alors le président, décida d'une remise en état complète de l'hôtel Ponsardin.

En septembre 1931, d'importants travaux débutèrent, et tout ce qui ne faisait pas partie de la construction originelle fut détruit. Bertrand de Mun veilla personnellement aux moindres détails de remise en état et de décoration, prélevant même des meubles et des bibelots sur ses collections personnelles. Qui d'autre en effet, mieux que lui, pouvait attacher son nom à cette restauration?

La grande halle vitrée où étaient installés les bureaux et guichets de la poste.

Madame Clicquot ne procéda à aucun changement important des lieux. Tout au plus fit-elle modifier quelques dessus-de-porte et installer cette rampe d'escalier qui représente son chiffre : le "C" de Clicquot et le "P" de Ponsardin entrelacés.

Le nom de Clicquot, ou Cliquot, comme on le trouve orthographié dans des documents antérieurs au XVIᵉ siècle, trouve ses origines lointaines en Lorraine. La signification de ce patronyme a deux explications possibles : il peut venir soit du mot "clicquet" (d'où est issu le substantif "cliquetis"), qui désignait les marchands ambulants annonçant leur passage par une clochette. Il peut aussi venir du mot "clique", et se rapprocherait alors des métiers ayant trait à la serrurerie.

Dès le XVᵉ siècle, un Clicquot était notaire à Reims. Pour retrouver l'ancêtre commun aux différentes branches des Clicquot, il faut remonter à Antoine Clicquot, né à Reims vers 1570. A partir de ses sept enfants, issus de son mariage avec Liesse Le Fricque, se formeront trois tiges principales, les quatre autres devant tomber dans les oubliettes de l'Histoire :

– la première tige a pour auteur le fils aîné Nicolas. Elle donne naissance, à la génération suivante, à la branche Clicquot-Colbert, d'où sont issus les Clicquot facteurs d'orgues et, quatre générations plus tard, les Clicquot de Mentque ;

– la deuxième tige, dont l'auteur est son fils puîné Guillaume, donne naissance, d'une part, à la branche Clicquot de Blervache, d'où est issu l'économiste Simon Clicquot de Blervache, et, d'autre part, à la branche Clicquot-Chéon ;

– la troisième tige a pour auteur Victor, d'où est issu Philippe Clicquot, père de François, et beau-père de Madame Clicquot-Ponsardin.

La "signature" des Clicquot facteurs d'orgues.

prise successivement par Louis-Alexandre (1680-1760), fils de Robert, puis par François-Henri (1732-1790), fils de Louis-Alexandre. François Clicquot, fils du précédent, contemporain et cousin homonyme du mari de Madame Clicquot, continua d'exercer ce métier après la Révolution. Avec lui s'éteignit la branche des facteurs d'orgues. Les spécialistes parlent du très grand talent de Robert Clicquot, du mérite de Louis-Alexandre, qui sut conserver la clientèle léguée par son père ; François-Henri et François ont allié les deux.

Curieusement, si les orgues de la cathédrale de Reims servirent de révélateur à la vocation de plusieurs générations de Clicquot, aucun d'entre eux n'y exerça son talent. En revanche, ils sont à l'origine d'un nombre impressionnant d'orgues à travers la France, dont certaines ont été entreprises par le père, puis continuées, rhabillées ou entretenues par le fils. C'est le cas, entre autres, de l'orgue de la chapelle du château de Versailles, de l'orgue de l'abbaye de Saint-Jean-des-Vignes de Soissons, de l'orgue de la collégiale de Saint-Quentin, de celles des cathédrales de Rouen, de Blois, de Saint-Louis à Versailles, de Poitiers, de Saint-Sulpice à Paris, le plus important sorti de l'atelier Clicquot, de Nantes, de Laval, de Sarlat ou encore du grand orgue des Saints-Innocents à Saint-Nicolas-du-Chardonnet à Paris.

L'orgue de Saint-Sulpice à Paris, le plus important sorti des ateliers Clicquot.

Le livre de Norbert Dufourcq, le biographe des Clicquot facteurs d'orgues.

Sans doute influencé dans son choix par son beau-frère, Etienne Henocq, facteur d'orgues réputé, Robert Clicquot reçut ses premières leçons à la maîtrise de la cathédrale de Reims. Il avait du talent, ce qui, ajouté à son alliance avec une nièce du grand Colbert, ne le desservit point... En effet le ministre de Louis XIV cultivait un bel esprit familial qui le portait à protéger fructueusement jusqu'aux plus lointaines boutures de sa parentèle. Faisant beaucoup pour les arts en général, il attribua à Robert Clicquot, en particulier, la charge de Facteur ordinaire des orgues du roi à Versailles.

Une grande entente régnait sous l'Ancien Régime entre les différentes familles de facteurs d'orgues, et la tradition voulait que le métier fût transmis de père en fils. La charge fut donc re-

*"Daigne m'éclairer de ta grâce
Parmi tant de divers foys :
Quel dogme faut-il que j'embrasse?
Dieu tout puissant, fixe mon choix.
Est-il une seule foi sainte,
Qui, de ton sceau portant l'empreinte,
soit réservée à tes élus?
Et ceux qui n'y sont pas fidèles
seront-ils, comme des rebelles,
de tes récompenses exclus?"
Extrait de l'Ode sur la religion écrite en 1771.*

Guillaume Clicquot, fils cadet d'Antoine Clicquot, est l'arrière-grand-père de Simon Clicquot de Blervache. Simon Clicquot de Blervache (1723-1796), c'est l'intellectuel de la famille, ou plutôt, au siècle des lumières, l'encyclopédiste. Simon Clicquot a très bien pu connaître Barbe-Nicole Ponsardin lorsqu'elle était adolescente.

Après une solide formation littéraire et philosophique au collège de l'université de Reims, Simon Clicquot seconde son père dans son commerce de laines et d'étoffes. Intellectuel et homme d'affaires, Simon Clicquot est aussi un homme public : devenu Procureur du roi-syndic, il occupa une très haute fonction parmi les notables de la ville, chargé notamment de surveiller l'administration de la municipalité et, dans certains cas, de la représenter et de défendre ses intérêts. Enfin, il est l'auteur de plusieurs ouvrages économiques, dont un traité sur le taux de l'intérêt de l'argent, une étude sur l'état du commerce en France depuis Hugues Capet jusqu'à François Ier, un mémoire sur les corps de métiers, maîtrises

La statue de Louis XV, œuvre de Cartellier, pour laquelle Simon Clicquot-Blervache composa l'inscription du piédestal.

et jurandes, un éloge de Sully, une étude sur les avantages et les inconvénients du commerce extérieur, des études sur l'agriculture, la navigation. Ces publications firent l'admiration de Turgot, avec lequel Simon Clicquot entretint une correspondance. Outre ses écrits, Simon Clicquot est à l'origine des promenades publiques de Reims, de nombreux travaux d'embellissement. On lui doit entre autres, en 1764, la pose à l'hôtel de ville d'une grosse cloche pour frapper les heures et de deux autres pour frapper les quarts et demies; ces cloches fonctionnent encore de nos jours.

Amateur de littérature, il s'illustra dans ce domaine, ainsi que le raconte l'un de ses biographes, Jules de Vroil : "... En 1765, la ville de Reims vit achever les constructions monumentales de la place Royale, la plus belle de ses places publiques, et elle assista à l'inauguration de la statue en bronze de Louis XV qui la décore. Pour mener à bonne fin cette grande entreprise, Clicquot-Blervache ne ménagea ni ses soins, ni ses peines, ni même sa santé (...)." L'inscription que le piédestal de la statue devait recevoir avait été mise au concours, et ce concours avait été très brillant : parmi les pièces envoyées, il s'en trouvait deux de Voltaire et deux de Piron. L'Académie française, chargée de se prononcer et fort embarrassée, s'en tira très habilement en remettant le jugement au roi lui-même. Louis XV plaça au premier rang l'inscription envoyée par un auteur anonyme. Elle était de Clicquot-Blervache (...) Et voici l'inscription que le piédestal reçut et qu'il porte encore aujourd'hui :

"De l'amour des Français éternel monument,
Instruisez à jamais la Terre
Que Louis, dans nos murs, jura d'être leur père
Et fut fidèle à son serment."

Cette statue fut renversée au moment de la Révolution, en 1792, et rétablie par le baron Ponsardin, alors maire de la ville, qui inaugura le nouveau monument le 25 août 1819.

Avec Clémentine Clicquot, née le 20 mars 1799, l'on aborde des rivages plus sereins et moins éclectiques. Quelque esprit? Point trop n'en faut. Quelques idées? On aura celles de "Mère chérie". Et, toute sa vie, Clémentine se contentera du *carpe diem*. Sa jeunesse, puis son adolescence se passent d'abord près de sa mère, et son éducation est complétée au couvent des Anglaises, à Paris. Lucide, Madame Clicquot s'occupait tendrement d'elle jusque dans les moindres détails de sa vie quotidienne. Timide, peu sûre d'elle et d'une vivacité d'esprit qui était bien loin d'égaler celle de sa mère, elle se pliera toute sa vie, et de bonne grâce, aux décisions qui seront prises pour elle…

De retour de Paris en octobre 1816, Clémentine Clicquot mène, durant quelques mois, l'existence paisible d'une jeune fille de province. A cette époque, Madame Clicquot commence à être célèbre. Nicolas Ponsardin, grand-père de Clémentine Clicquot, maire de Reims, vient d'être anobli et réside dans le plus bel hôtel de la ville. Autant dire que la famille est en vue. Les prétendants pour Clémentine ne manquent pas, à commencer par le sous-préfet, qui lui fait une cour assidue. Si Madame Clicquot entendait arranger le mariage à sa convenance, à aucun moment elle n'a cherché à imposer à sa fille un mari dont celle-ci n'aurait pas voulu. Finalement, son choix se porta sur Louis de Chevigné, sans fortune, mais d'excellente famille.

Les fiançailles sont conclues le 8 juillet 1817, et le mariage sera célébré le 15 septembre. Une petite réception fut donnée dans une relative intimité, le frère de Madame Clicquot, Jean-Baptiste Ponsardin, étant prématurément décédé au début du mois d'août. Neuf mois après son mariage, Clémentine de Chevigné mettait au monde une petite fille, Marie-Clémentine, qui sera son seul et unique enfant. Elle faisait de Madame Clicquot une jeune grand-mère de tout juste quarante ans.

Clémentine était très amoureuse du comte de Chevigné. Bel homme, charmant, faisant usage d'un luxe d'empressements, il représentait l'exact contraire de son épouse. Sans pour autant que cette personnalité exubérante n'ait déteint sur elle, Clémentine dut connaître un bonheur qui convenait parfaitement à son caractère : effacée derrière un mari qu'elle admirait.

Trois ans avant sa mère, le 6 avril 1863, Clémentine de Chevigné partait comme elle avait vécu : discrètement. Outre le fait d'avoir été une épouse fidèle et une bonne mère, Clémentine restera malgré tout, au regard de l'Histoire, la mère de la comtesse de Mortemart et la grand-mère de la duchesse d'Uzès. Bien que les héritiers de Madame Clicquot n'aient pas été intéressés directement à la conduite de la société, une descendance aussi illustre ne pouvait que contribuer au prestige de cette dernière. Cette responsabilité génétique permet à Clémentine d'échapper au relatif anonymat dans lequel elle se complut toute sa vie.

Dans une lettre qu'elle écrit à l'une de ses cousines, Madame Clicquot confie : "… Mes enfants sont très contents l'un de l'autre. Clémentine n'est plus embarrassée avec son mari. Elle le tutoye actuellement et est très familière avec lui. Elle chante en se couchant et en se levant, il en est de même avec M. de Chevigné, je puis dire en ce moment-ci que je suis une heureuse mère…"

Clémentine Clicquot ne brillait pas dans les jeux de société qui occupaient les soirées familiales. Quelque peu embarrassée de sa personne, Madame Clicquot la consolait par une phrase qui est restée célèbre : "Ne pleure pas Mentine, ne pleure pas, je t'achèterai de l'esprit quand je te marierai!" Elle ne se trompait pas!

Louis de Chevigné est un personnage plus important qu'il n'y pourrait paraître. Il ne fut en effet jamais mêlé directement à la conduite des affaires de Madame Clicquot, mais il est probable que ses talents d'homme du monde et que ses goûts, quoique dispendieux, aient apporté une sorte de lustre au prestige de sa belle-mère qui, soit dit en passant, l'adorait.

Fils du comte Louis de Chevigné et de Marie-Henriette du Chaffaut, le gendre de Madame Clicquot, Louis de Chevigné, était né le 30 janvier 1793. Il était le benjamin d'une famille de cinq enfants, seul garçon parmi quatre sœurs, toutes plus âgées.

Sa vie débuta sous les auspices les plus tragiques : Vendéens fervents, ses parents prirent part à la terrible bataille du Mans, et sa mère fut arrêtée et emprisonnée avec ses cinq enfants à Nantes; Louis de Chevigné n'avait alors que quelques mois. Souffrant de la faim, du froid, de l'humidité, d'épidémies de toutes sortes, des dizaines de femmes et d'enfants meurent tous les jours dans ces abominables cachots. A tel point que les révolutionnaires autorisent les habitants de la ville à recueillir les enfants qui peuvent encore être sauvés. Madame de Chevigné est mou-

rante, et trois de ses filles sont à l'agonie. Louis et Pélagie de Chevigné sont arrachés à la mort par Mademoiselle Duchenet, une sainte femme qui promet à la malheureuse mère de ne pas les abandonner. Quelques jours plus tard, Louis de Chevigné père, qui a rejoint Charette, est tué au combat.

Pélagie sera élevée par Madame d'Andigné, quant à Louis, il est confié à Madame de Rouillon. Quelques années plus tard, le général comte du Chaffaut apprend que son neveu et sa nièce sont vivants et décide de prendre en charge l'éducation de Louis de Chevigné. En 1806, celui-ci entre au lycée impérial de Nantes. Au moment de la Restauration, il devient garde du corps de Louis XVIII, qu'il suit à Gand durant les Cent-Jours. De retour en France, Louis de Chevigné s'installe sur une petite terre que possède son oncle près d'Epernay, à Boursault.

Fin lettré, cultivé, Louis de Chevigné entreprend, sous l'égide de son précepteur Richard Castel, professeur de lettres et inspecteur des écoles militaires royales, une traduction versifiée du *Moretum* de Virgile. Ces activités lui laissent le loisir de faire la connaissance de la bonne société champenoise et d'être peu à peu reçu dans tous les salons d'Epernay et de Reims, dont celui de Madame Clicquot.

On sait que Clémentine Clicquot, avant de jeter son dévolu sur Louis de Chevigné, eut d'autres prétendants, dont certains eurent d'âpres discussions d'argent avec Madame Clicquot. Discussions qui finirent par exaspérer cette dernière, qui écrivit à l'une de ses cousines : "... On ne doit pas marchander les demoiselles comme des choux au marché (!)."

Louis de Chevigné, lui, ne marchanda rien du tout, ne possédant lui-même pas la moindre fortune. Sa dot n'était constituée que de son nom, sa bonne éducation, un niveau d'études satisfaisant et un charme tout à la fois dû à son physique et à son éloquence. Il devinait que, de toute manière, sa situation matérielle ne pouvait que s'améliorer en épousant Clémentine Clicquot. Réinventant à sa façon la prière païenne "ô dieux, ne me donnez pas la fortune, mettez-moi à côté de ceux qui l'ont...", il écrit lucidement à Richard Castel, son précepteur : "Une grande aisance pour le moment, l'opulence sans doute à venir."

Louis de Chevigné n'a-t-il épousé Clémentine Clicquot que pour sa fortune? L'on s'avancerait en disant qu'il l'eût de toute façon choisie si elle avait été pauvre. Cela dit, il n'avait à l'époque que peu d'éléments pour juger de l'étendue des biens de Madame Clicquot : ses succès commerciaux étaient relativement récents, elle n'était encore propriétaire ni du château de Boursault ni de celui de Villers-en-Prayères, elle ne jouissait pas encore du bel hôtel Ponsardin. Tout au plus offrait-elle au couple un capital de 200 000 francs et une rente de 20 000 francs, ce qui, au dire des hobereaux qui avaient courtisé Clémentine Clicquot avant Louis de Chevigné, était honnête, mais n'avait rien de vraiment exceptionnel.

Il est probable aussi que Louis de Chevigné, ayant perdu ses parents très jeune, ait été attiré par le havre de douceur que représentaient une mère attentive et une fille docile. Il se retrouvait, de fait, le centre de toutes les attentions, le seul homme de la maison. Quant à Madame Clicquot, elle avait une véritable tendresse pour son gendre. Elle lui pardonnera toujours toutes ses folies et, sans le laisser s'approcher de ses affaires de champagne, elle se pliera à toutes ses fantaisies.

Après leur mariage, le 13 septembre 1817, Louis et Clémentine de Chevigné demeurent auprès de Madame Clicquot, dans sa petite maison de

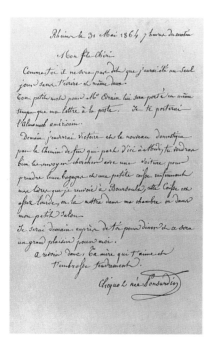

"Mon fils chéri

Comme toi il ne sera pas dit que j'aurai été un seul jour sans t'écrire et même deux... Je serai demain auprès de toi pour dîner et ce sera un grand plaisir pour moi. A revoir donc, Ta mère qui t'aime et t'embrasse tendrement. Clicquot, née Ponsardin."

Très belle lettre de Madame Clicquot à Louis de Chevigné, qui montre toute l'affection qu'elle lui portait.

la rue de l'Hôpital, où naîtra Clémentine de Chevigné l'année suivante. Cinq ans plus tard, la famille déménage vers l'hôtel Le Vergeur, acheté en 1822. Enfin, en 1837, a lieu l'installation dans l'hôtel Ponsardin. La vie se partage entre les réceptions mondaines rémoises, quelques voyages à Paris et à Nantes dans la famille de Louis de Chevigné, et, en période de vendanges, des séjours dans les petites maisons des vignobles.

Il est probable qu'au début de son mariage, Louis de Chevigné chercha à s'intéresser à la marche de la société de Madame Clicquot. C'est en tout cas l'impression qu'il veut donner lorsqu'il écrit à son ancien précepteur et ami, Richard Castel, lui disant "qu'il s'occupe des vendanges et parcourt les vignobles". Cela restera illusoire, Madame Clicquot ayant certainement compris à temps, sans que cela n'altère la tendresse qu'elle lui portait, que les préoccupations primesautières de son gendre étaient difficilement compatibles avec les exigences quotidiennes d'une maison de champagne.

Faute de devenir homme d'affaires, Louis sera propriétaire. Il se met en quête d'une propriété à acquérir. Après avoir étudié plusieurs possibilités, le choix se porte finalement sur le "petit château" de Boursault, dont l'acte d'achat sera signé le 2 décembre 1819. Ce n'est que plus de vingt ans plus tard que sera construit le "grand château" de Boursault. En mal d'investissements financés par sa belle-mère, Louis de Chevigné achète aussi, en juillet 1821, le château de Villers-en-Prayères, près de Fismes, avec tout le domaine qui l'entoure. Doublement châtelain, Louis de Chevigné partage sa vie entre Reims et les deux propriétés, ayant abandonné toute velléité de se mêler des affaires de sa belle-mère. Il dépense beaucoup d'argent pour des travaux de remise en état, l'entretien des jardins et potagers, la chasse, les amis et relations qu'il y invite et... le jeu.

En 1830, Louis de Chevigné devient colonel de la Garde nationale de Reims et le restera jusqu'en 1849. La tradition veut qu'il y rendit de "signalés services", faisant preuve d'une grande équité et d'un abord agréable, pour ses supérieurs comme pour ses obligés. Lorsque la fermeture des ateliers de Saint-Brice et de Courcelles, grands ateliers de tissage, mit au chômage un nombre considérable d'ouvriers, il sut maintenir l'ordre sans effusion de sang. Le gouvernement de Louis-Philippe lui remit la croix de la Garde nationale, et le Second Empire en fit un officier de la Légion d'honneur.

Bien qu'il n'ait eu qu'une seule fille, Louis de Chevigné a dû être un grand-père digne de ceux qu'évoque la comtesse de Ségur. C'est ainsi en tout cas que le décrit Clémence Maldan : "... Il était pour nous les enfants, plein d'accueil bienveillant et d'attentions gracieuses. Son imagination lui suggérait toujours de charmantes attentions pour la jeunesse. (...) Des goûters réunissaient tous les enfants, les œufs de Pâques cachés dans le jardin où la joyeuse bande s'envolait pour courir dans les longues allées de buis..."

La fin de la vie de Louis de Chevigné comporte un épisode qui a fait l'admiration de ses contemporains : alors qu'il se trouvait seul au château de Boursault durant la guerre de 1870, des officiers prussiens vinrent et lui reprochèrent d'être responsable d'un déraillement de train qui avait eu lieu la veille au pied du château. Pour cet incident, les officiers exigèrent une indemnité. Louis de Chevigné aurait alors répondu : " Je ne suis cause de rien, je ne vous donnerai rien... La rivière est débordée, la voie n'est plus entretenue, je ne suis pour rien dans le déraillement. Je suis un vieillard, j'ai soixante-quatorze ans, ma vie est finie, faites de moi ce que vous voudrez..." Les officiers, impressionnés, se retirèrent. Louis de Chevigné est décédé à l'âge de quatre-vingt-six ans, le 19 novembre 1876, dans sa chambre de l'hôtel Ponsardin.

LES CONTES RÉMOIS

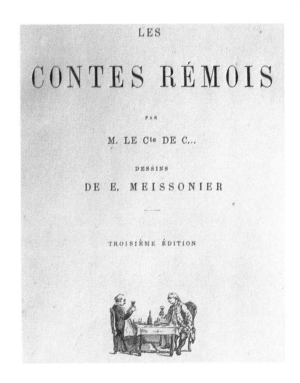

Louis de Chevigné se piquait de littérature. Après des essais infructueux auprès de libraires parisiens pour faire éditer ses traductions versifiées de plusieurs œuvres de Virgile, il publiera son premier ouvrage en 1832, à Reims. Il s'agissait de La Chasse et la Pêche, *suivies de poésies diverses, lequel contenait déjà quatorze contes rémois.*

Ensuite, entre 1836 et 1875, les Contes rémois *en tant que tels seront édités douze fois, dont une à titre posthume, dans des formats et chez des libraires différents. Le volume le plus important, datant de 1868, contient cinquante-six contes, illustrés pour trente-quatre d'entre eux par Meissonnier et pour vingt-trois d'entre eux par Foulquier.*

L'accueil par la critique fut très divers : les journalistes parisiens les plus lancés virent dans Louis de Chevigné un enfant spirituel de La Fontaine. Or, avec le recul, il est aisé de s'apercevoir que la postérité de celui-ci n'a rien à voir avec celle de celui-là. Quant aux détracteurs à l'esprit plus étroit, ils trouvèrent les sujets plutôt lestes, pour ne pas dire choquants.

Madame Clicquot, quant à elle, n'appréciait guère les œuvres de son gendre. La légende veut qu'elle achetât, à mesure de leur publication et pour les retirer de la circulation, l'ensemble des Contes rémois. *Mais, dans l'ignorance où il était de cette situation, Louis de Chevigné put toujours croire à son talent et constater la fortune qui en résultait. Toutes les fois qu'il avait contracté une dette de jeu, il faisait, pour la combler, réimprimer ses ouvrages.*

"Heureux pays que celui de Champagne!
Des vins exquis parfument la montagne,
Le peuple est bon, les maris point jaloux,
Et le beau sexe a le cœur aussi doux
Que les moutons qui peuplent la campagne."

"Est-il un vin plus gai que le champagne?
La bonne humeur en tout lieu l'accompagne;
Il rit de tout, même de ses amis,
Et je lui dois mes plus joyeux récits."

Premier tirage d'une édition des Contes rémois *corrigé de la main de Louis de Chevigné.*

"Le comte et la comtesse donnaient le bon exemple mais, caractères effacés, ils ne pouvaient exercer beaucoup d'influence autour d'eux", raconte Madame Maldan dans ses souvenirs.

Clicquot, pour qu'Anne vienne passer à Boursault des semaines entières "au grand air et avec une nourriture simple et solide". Le traitement réussit parfaitement, la future duchesse d'Uzès se fortifia si bien qu'elle devint une jeune fille robuste et de belle taille.

Un peu repliés sur eux-mêmes, les Mortemart mènent une vie pieuse et charitable : "Bienfaisant au suprême degré, il cherche à donner aux pauvres avec le soulagement matériel, les douces satisfactions d'une conscience pure. Monsieur de Mortemart s'applique à donner aux enfants une éducation morale. Des sœurs appelées par lui ont ouvert une école libre à Boursault. Tous les frais de cette école sont à la charge de Monsieur de Mortemart, ainsi que le traitement des institutrices. Il est, pour tout dire, le modèle le plus parfait du dévouement pieux et de la charité intelligente", dit Victor Fiévet.

Toute chaîne, de quelque nature qu'elle soit, comporte des maillons plus fragiles. Face aux grands rythmes historiques connus ou provoqués par leurs aïeux, face à des personnalités aussi marquantes que le baron Ponsardin, Madame Clicquot ou Louis de Chevigné, il faut admettre que Louis de Rochechouart et son épouse, Marie-Clémentine, représentent un intervalle de respiration...

Ils se connurent probablement à Paris, lors des séjours assez fréquents qu'y faisaient les Chevigné. C'est d'ailleurs dans cette ville, en l'église de la Madeleine, que fut célébré leur mariage le 21 mai 1839. Marie-Clémentine avait alors vingt et un ans et Louis de Rochechouart trente ans.

Leurs trois enfants, Pauline (1840-1850), Paul (1841-1853) et Anne (1847-1933), seront de santé extrêmement délicate. Il semble qu'ils aient été élevés, selon le principe de l'époque, dans une atmosphère très confinée. Il fallut toute l'insistance de son arrière-grand-mère, Madame

C'est également Louis de Mortemart qui fit restaurer l'église de Boursault. En dehors de ces activités caritatives, Louis de Mortemart s'intéressait à la peinture et aux plantes tropicales. C'est lui qui fit construire la serre de Boursault, où il cultivait des ananas. Une anecdote, racontée par Madame Maldan dans ses souvenirs, achèvera de dépeindre le caractère de Louis de Mortemart, être bon mais dénué de toute trace d'originalité. La scène se passe à Boursault, en présence d'un invité : "Un jour tous deux se promenaient sur la terrasse d'où la vue embrassait un panorama superbe; les bois, la forêt, la plaine et au milieu de l'ensemble, la pièce d'eau où nageaient des cygnes et qui servait de miroir aux tourelles du château. Le comte s'arrêtant brusquement, s'écria de sa voix nasillarde : "Alfred! regardez donc comme c'est contrariant; ces cygnes qui laissent toujours des plumes sur le lac!"

La famille de Mortemart en grand équipage. On apperçoit, à l'extrême droite du tableau, le château de Boursault.

29

La duchesse d'Uzès passa sa vie à bousculer les situations établies : elle fut, entre autres, et à cause de son amour pour la vénerie, la première femme française à remplir les fonctions de lieutenant de louveterie. Première femme de France aussi à passer son "examen de conduite automobile" et, un mois avant sa mort, à accepter un baptême de l'air.

Anne de Rochechouart-Mortemart, issue par son père de la plus ancienne famille de France, naît lorsque Madame Clicquot a soixante-dix ans (1847). Elle en sera l'unique descendante, son frère Paul et sa sœur Pauline étant disparus très jeunes. Comme eux, elle était de santé fragile.

Mais ses séjours à la campagne, particulièrement à Boursault, chez son arrière-grand-mère, lui donneront cette vigueur et cet allant qu'elle gardera toute sa vie. Anne de Mortemart a vingt ans quand elle épouse, en mai 1867, Emmanuel de Crussol, duc d'Uzès et premier pair de France.

Physiquement plus fine que son aïeule, la duchesse d'Uzès était, comme Madame Clicquot, de petite taille. Elles avaient d'autres points en commun : une indéniable générosité, et cette sorte de sixième sens qui fit d'elle un précurseur par rapport aux autres femmes de sa génération. Anne d'Uzès tenait aussi de son grand-père, le comte de Chevigné, un indiscutable sens artistique.

Veuve très jeune, à trente et un ans, elle ne se remaria pas, encore un point commun avec son arrière-grand-mère, et se consacra à ses quatre enfants, à la chasse à courre, à la sculpture, sous le pseudonyme de Manuela, et au... féminisme.

Son seul véritable échec, qui entama plus sa fortune (considérable) que son moral (bien trempé), fut d'avoir cru, contre vents et marées, au boulangisme. Pensant possible le rétablissement de la royauté, elle s'était laissé convaincre de soutenir financièrement le général Boulanger. A vrai dire, le "Brav' Général", aventurier fantasque et démagogue, ne fut pas un obligé d'une très grande gratitude. Mais, pour Anne d'Uzès, par ailleurs maître d'équipage, tomber en défaut n'était pas irréversible, et l'on repartit de plus belle vers d'autres voies plus sûres.

La duchesse d'Uzès se retrouva seule héritière de Madame Clicquot : elle conserva des parts dans la société jusqu'en juillet 1896, vendit l'hôtel Ponsardin en avril 1880 et le château de Boursault en 1913. En dehors de sa résidence parisienne, la duchesse d'Uzès possédait, venant de son défunt mari, plusieurs propriétés et de nombreuses terres, dont le duché d'Uzès en Languedoc, mais aussi le château de Bonnelles en Ile-de-France.

C'est à Bonnelles que la duchesse d'Uzès passa le plus clair de son temps. Bonnelles où les laisser-courre de la duchesse seront pendant longtemps considérés comme une des toutes premières références en matière de vénerie. La chasse à courre, qu'elle pratiqua pendant soixante-quatre ans, était plus pour Anne d'Uzès un art véritable qu'un sport.

Elle a reçu à Bonnelles des chefs d'Etat et des personnalités du monde entier. Ses chasses ont été maintes fois racontées, commentées, photographiées et même filmées. L'historien Patrick de Gmeline, biographe de la duchesse d'Uzès, la décrit ainsi : "... La duchesse circule, courtoise et affable, fouet à la main. Elle a cependant l'air préoccupé, voire distrait : la chasse n'est pas à ses yeux un simple amusement! Elle monte en amazone, juchée sur son cheval bai, chevauchant sans répit, à toutes les allures, traversant champs, villages, débouchant dans les labours, franchissant les fossés, suivie de ses piqueurs et de ses boutons. Nul ne s'avise de la dépasser sans avoir demandé l'autorisation, et on ne le fait alors qu'en ralentissant l'allure, à distance respectueuse." Anne d'Uzès chassa à courre pour la dernière fois le 17 janvier 1933; elle s'éteignit une quinzaine de jours plus tard.

Redingote rouge à revers et parements bleus, bordés d'un gros galon de vénerie, gilet bleu, bottes de vénerie à la française et bas de laine blanche sur une culotte de gros velours bleu. Telle est encore la tenue du Rallye de Bonnelles.

La duchesse d'Uzès et ses chiens de chasse. Dessin de Sem.

Avant d'acheter Boursault, Louis de Chevigné visita plusieurs autres propriétés, dont un domaine près de Grosbois, en Seine-et-Marne, et un château près de Melun, les "Vives-Eaux". Boursault fut choisi pour sa relative proximité de Reims. Le fait qu'il domine Epernay, fief de la famille Moët, alors principal concurrent de la maison Clicquot, n'est peut-être pas complètement étranger à ce choix.

Boursault est un petit village situé à quelques kilomètres à l'ouest d'Epernay, surplombant la route nationale qui conduit de Paris à Metz. Il existe en fait deux châteaux de Boursault : le "petit" ou "ancien" château, acheté par Madame Clicquot et Louis de Chevigné en décembre 1819, et le "grand" château ou château neuf, qui sera construit entre 1843 et 1848. La propriété, achetée en 1819, comportait plus de 10 000 hectares de forêts et de prés d'un seul tenant qui escaladaient la vallée et s'étendaient sur le plateau. L'ensemble représentait environ les deux tiers de la superficie actuelle de la commune. Dans le très important domaine forestier de Boursault jaillissaient de nombreuses sources. Madame Clicquot céda l'une de ces sources à la ville d'Epernay, afin de pourvoir aux besoins en eau potable de la population, ce qui fit dire que Madame Clicquot "poussait la bonté jusqu'à donner à boire aux Moët!".

Entre 1819 et 1843, Madame Clicquot, ses enfants, petits-enfants et même arrière-petits-enfants se contentèrent de l'ancien château. Puis la décision fut prise de construire le château neuf, qui correspondrait mieux à la position de la famille, mais qui serait aussi plus adapté aux très nombreux invités venant aux chasses, dîners et réjouissances diverses organisés à Boursault, comme le dit Madame Clicquot dans une lettre à sa cousine, Mademoiselle Gard : "... Je fais mes préparatifs pour m'installer à la campagne et M. de Mortemart m'écrit qu'il va y arriver avec un de ses amis et son beau-frère le marquis d'Avaray. Comme mon ancien château est très petit, je ne puis y recevoir beaucoup de monde à la fois, mais nous en bâtissons un où je pourrai loger au moins vingt maîtres et autant de domestiques, ce qui m'évitera beaucoup d'embarras, et je pourrai loger beaucoup de monde sans être obligée de donner mon lit..."

L'ancien château avait été construit au XVIᵉ siècle par François d'Anglure, baron de Boursault. Il appartint aux comtes de Marets, puis à la marquise de Louvois. Acquis en 1816 par le comte et la comtesse de Reille, ce sont eux qui le cédèrent à Madame Clicquot.

La première pierre fut posée le 18 août 1843, et les travaux furent achevés cinq ans plus tard. C'est l'architecte Arveuf, qui avait été chargé de restaurer la cathédrale de Reims, qui établit les plans, et l'on dit qu'il s'inspira rien de moins que du château de Chambord. On peut ne pas apprécier le style néo-Renaissance de Boursault, mais force est de constater que l'ensemble ne manque pas d'une certaine allure, et que de nombreux détails d'architecture extérieure, comme les têtes d'animaux sur le thème de la chasse, qui ornent les façades, sont d'un goût extrêmement raffiné. Le château de Boursault était signalé dans les brochures de l'itinéraire ferroviaire Paris-Strasbourg en des termes plutôt élogieux : "Cette belle demeure, qui fait honneur à l'art contemporain, est un exemple de ce que peut l'emploi généreux et intelligent des fortunes loyalement acquises dans l'industrie, pour ajouter aux charmes de nos paysages et soutenir le goût national à la hauteur de nos anciennes traditions."

Aucune tourelle, tour en poivrière, haute cheminée, aucun belvédère, clocheton ou fronton de chacune des trois cent soixante-cinq fenêtres qui ne soit délicatement ouvragé ou décoré de sculptures évoquant la chasse ou la nature.

Vue sur la vallée de la Marne depuis la terrasse du château.

"Natis Mater", "une Mère à ses Enfants", c'est ce que fit figurer Madame Clicquot au fronton de la porte centrale du château.

"Dans l'immense salle à manger, on avait l'impression d'être perdu lorsqu'on s'y retrouvait en petit comité. La cheminée, aussi haute que celle du salon, servait de piédestal à une statue de Diane, de grandeur naturelle. Durant les longs repas, mes yeux d'enfant regardaient avec admiration cette Diane, qui, d'un geste hardi, se penchait dans le vide en ajustant son arc."
Souvenirs de Madame Maldan.

A l'intérieur, toutes les pièces comportent des cheminées monumentales en pierre de Bourgogne, des boiseries sculptées, des tapisseries d'Aubusson, des sculptures de Klagmann pour lesquelles les moules furent brisés afin qu'elles n'existent qu'en un seul exemplaire. Les boiseries, et notamment celles de la salle à manger, comportent à plusieurs endroits le chiffre "C.M.", pour Chevigné-Mortemart. Mais les gens du pays avaient l'habitude de dire que ce chiffre signifiait plutôt les initiales de "Champagne Mousseux", le vin qui avait fait la fortune de Madame Clicquot et lui avait permis de construire le château. Les sous-sols étaient à eux seuls un véritable univers, avec cuisines, glacières, fours pour les pâtisseries, offices et dépendances de toutes sortes, et même une salle de billard pour le délassement des domestiques.

Le parc est à la hauteur de la bâtisse, avec de nombreuses allées, des bassins, des serres et des ponts. La vicomtesse de Luppé, une petite-nièce de Madame Clicquot, se souvient : "C'est un grand château tout blanc, accroché parmi les arbres au flanc de la colline, un château qui sentait la cire, la pierre que le soleil a chauffée, au milieu d'un vaste parc à odeurs d'eau fraîche, de groseilles, de miel et des fleurs du jardin du haut qu'on appelait "le fleuriste". Dans une allée du parc, sombre et resserrée, petit tunnel obscur de buis, rêvait un vieux banc de pierre qui s'appelait "des deux amis"... mais ce parc n'était que

jets d'eau et cascades... et devant la façade du château, celle qui donnait sur le parc et la forêt, s'étendait un vaste bassin avec son jet d'eau au milieu que parfois on ouvrait."

Après la mort du comte de Chevigné, le château de Boursault échut à la duchesse d'Uzès, qui vint y chasser quelques fois et qui s'occupait des gens les plus démunis du village. Puis, devenant âgée, et préférant le château de Bonnelles et le climat de sa petite propriété de l'île de Berder dans le Morbihan, la duchesse d'Uzès vendit le château et son parc en 1913 à un Canadien, Monsieur Berry, et le fonds forestier à Georges Gallice. Un peu délaissé, abîmé durant la Première Guerre mondiale, le château fut acheté en 1927 par une grande famille ar-

ménienne, joailliers de l'Empire ottoman, les Fringhian. Le château et ses 37 hectares de parc furent entièrement remis en état par Nourhan Fringhian et son épouse Nelly. Pendant la Seconde Guerre mondiale, le château et ses dépendances furent transformés quelque temps en hôpital par l'armée française. Puis, subissant plusieurs occupations successives, les lieux furent endommagés, des meubles et des objets disparurent. Depuis les années cinquante, Nourhan Fringhian et, maintenant, son fils Harald s'emploient à restaurer et à redonner vie au domaine en offrant la possibilité d'y organiser des séminaires et des réceptions. Quelques hectares de vigne ont même été plantés à l'intérieur des murs d'enceinte.

Certains chroniqueurs ont cru devoir dire de François Clicquot "qu'il avait été feu avant même de s'éteindre". Le mot est cruel et sans fondement, car l'activité développée par François Clicquot, même si elle fut de trop courte durée, démontre tout le contraire.

FRANÇOIS CLICQUOT, LE MARI DE MADAME CLICQUOT

François Clicquot, fils unique de Philippe Clicquot et de Françoise Muiron, est né à Reims le 7 septembre 1774. Son éducation se fit dans l'un des meilleurs collèges de la ville, et dans une ambiance familiale de bourgeois cultivés. Son père maîtrisait l'italien et l'allemand. François, lui, sera initié aux difficultés du violon. Des parents en tout cas suffisamment ouverts pour envoyer leur fils unique suivre une formation à l'étranger. C'est ainsi que François Clicquot partit en Suisse, quatre ans durant, chez un ami de son père.

La correspondance échangée à cette époque entre le père et le fils montre un François Clicquot de constitution fragile : "Ménagez votre faible santé et ne vous abandonnez pas à une sorte de mélancolie qui peut vous nuire et retarder le développement de vos facultés et prolonger la faiblesse de votre tempérament", ou encore : "Votre santé a toujours été très faible. Vous avez été obligé de suivre un régime à Saint-Gall et vos indispositions se sont souvent renouvelées." Lorsque, en mars 1794, le Comité de salut public ordonna la réquisition de tous les jeunes Français, Philippe Clicquot fera tout pour éviter à son fils la rude vie militaire et lui trouvera un poste dans une administration.

A travers les conseils que prodigue Philippe Clicquot à son fils, transparaît une nette volonté de le préparer à la vie active : "C'est en bornant vos besoins, vos désirs, c'est en augmentant vos facultés, c'est en multipliant vos calculs, c'est en plaçant vos devoirs avant vos penchants, c'est en commandant à vos passions, c'est en méritant la confiance de vos chefs, l'amitié de vos camarades, c'est en montrant de la docilité, de l'assiduité, de la modestie, c'est en vous rappelant les principes de vertu, de religion, d'honnêteté que

nous vous avons inspirés dès votre plus tendre enfance, que vous parviendrez à vous rendre moins malheureux. Je dis moins malheureux, parce que la félicité de l'homme sur la terre est un état négatif qui doit être mesuré par les moindres maux qu'il souffre. Déjà vous avez la qualité de cœur. Il vous manque encore quelques habitudes et connaissances indispensables dans le commerce. Votre écriture n'est pas assez formée, vous en négligez les principes. Votre style, quoique correct, pourrait être plus élégant. Appliquez-vous à la ponctuation, à l'orthographe…" Si ce ne sont pas les principes d'une bonne éducation…

Enfin, après une absence de plus de quatre ans, François Clicquot rejoint ses parents à Reims en décembre 1796. Très vite, il sera initié aux affaires de son père et, dès le mois de juin suivant, effectuera des voyages pour placer ses marchandises.

Un an plus tard, le 10 juin 1798, il épouse Barbe-Nicole Ponsardin, elle a vingt et un ans et lui vingt-quatre. C'est avec beaucoup d'ardeur, mais aussi beaucoup d'ingéniosité que François Clicquot développera les affaires de la maison "Clicquot Fils" avant d'être emporté par une fièvre maligne. L'événement semble s'être passé avec une rapidité déconcertante : "Monsieur Clicquot fils était attaqué depuis quatre jours d'une fièvre, qui, d'après les opinions des médecins, était sans danger. Mais, depuis hier, la maladie s'est changée et a pris un tel chemin que tout le monde tremble pour sa vie et que l'on n'a qu'une très petite étincelle d'espérance." Après cette lettre, François Clicquot vivra encore une huitaine de jours, puis s'éteindra le 23 octobre 1805 à quatre heures du matin dans sa maison de la rue de l'Hôpital.

Le faire-part du décès de François Clicquot.

ne femme du début du XIXᵉ siècle. Elle saura aussi faire preuve de célérité lorsqu'il s'agira de préparer le premier envoi pour la Russie en juin 1814, décision qui engageait une partie de sa fortune. Pourtant, Madame Clicquot n'était pas d'une spontanéité irréfléchie : avant toute décision importante, elle cherchait à explorer et à clarifier chaque aspect d'un problème ou d'une situation. Les êtres et les choses, elle les comprenait d'instinct, mais elle restait toujours d'une confiance mesurée face à cet instinct. Afin de tester, pour ainsi dire, son propre jugement, elle ne trouvera jamais dévalorisant de demander leur avis à ses voyageurs ou correspondants réguliers. Au fur et à mesure qu'elle avancera dans sa vie professionnelle, elle tiendra toujours compte des expériences passées pour former ses opinions. Mais, une fois qu'elle avait décidé d'un plan à exécuter ou d'une chose à faire, plus aucun élément extérieur ne pouvait venir ni troubler sa détermination ni entamer son courage. La meilleure illustration en sont les huit années très difficiles qu'elle passera, entre 1806 et 1814, avant de rencontrer ses premiers vrais succès commerciaux.

Madame Clicquot apparaît aussi comme une personne avec laquelle il était facile de communiquer : elle n'était, avec ses employés, ni d'une exigence aveugle ni d'une sévérité excessive. Dans toute la correspondance qu'elle échange avec ses voyageurs, ceux-ci s'adressent à elle, certes, avec déférence, mais ils sont directs et francs. Certains n'hésitent même pas à faire part à Madame Clicquot de leurs soucis personnels et familiaux, sachant qu'ils trouveront auprès d'elle une oreille attentive. Réconfortant ses voyageurs et leur redonnant continuellement foi en leur métier, Madame Clicquot savait obtenir le meilleur d'eux-mêmes et éviter les tensions inutiles. Ouverte, toujours enthousiaste et avide d'apprendre, elle aimait partager leurs expériences, leurs joies, leurs déconvenues.

Comme le confirme le petit tableau d'un auteur anonyme, Madame Clicquot adorait les livres. Ils faisaient partie de sa vie et de son environnement. A sa cousine, Mademoiselle Gard-Letertre, qui se chargeait souvent de faire des courses pour elle à Paris, elle demande très souvent de lui en acheter. Quand Madame Clicquot partait s'installer à Boursault pour l'été, elle se faisait toujours précéder par quelques caisses d'ouvrages dont les domestiques étaient chargés de prendre le plus grand soin.

Madame Clicquot a été élevée dans un milieu bourgeois et financièrement indépendant. Son père, homme d'affaires de valeur, était cultivé et généreux. Sans aucun doute, Barbe-Nicole Ponsardin a eu une enfance heureuse et sans histoires dans le bel hôtel Ponsardin. Elle était très attachée à sa famille, et l'entente avec son frère Jean-Baptiste et sa sœur Clémentine était bonne. Heureuses aussi furent, selon toute vraisemblance, les quelques années de son mariage, entourée de sa petite fille et d'un mari enthousiasmé par son métier.

Le premier trait dominant du caractère de Madame Clicquot réside dans sa rapidité à saisir les occasions tout en appréciant les risques. Quelques semaines après la mort de François Clicquot, elle décide de poursuivre les affaires de son mari, initiative audacieuse pour une jeu-

Esquisse réalisée vers 1860 par le peintre Léon Cogniet.
Elle représente la salle de billard du château de Boursault. La petite fille est Anne de Mortemart, future duchesse d'Uzès.

Madame Clicquot n'était pas excessivement coquette.
Son veuvage lui imposa au début des robes "de couleur puce ou de moire violette" et il semble qu'elle conserva l'habitude de se vêtir dans des couleurs foncées durant toute sa vie.

Dessin de Drian représentant Madame Clicquot vers la fin de sa vie au château de Boursault.

Tous les traits de la personnalité de Madame Clicquot gravitent en fait autour d'une même disposition générale, que l'on peut résumer sous la formule d'audace mesurée. Madame Clicquot se fixe des buts ambitieux, mais elle se garde de toute surprise. Elle aime gagner, sans pour autant être joueuse. Elle a besoin sans cesse d'enjeux nouveaux et refuse l'imprévoyance. Elle prend des risques et les calcule. Son enthousiasme, sa hardiesse sont toujours tempérés par la réflexion, l'organisation et la prudence. Son audace en affaires n'est pas tapageuse, elle est discrète... et surtout efficace!

Obstinée dans ses projets, cohérente dans sa ligne de conduite, Madame Clicquot n'aimait pas courir deux lièvres à la fois. C'est ce qui explique l'échec de la banque Clicquot et des investissements dans les filatures. A ces deux affaires, dont Georges Kessler était le maître d'œuvre, Madame Clicquot ne s'est intéressée que par procuration. Il en alla de même de la liquidation de ces établissements. Madame Clicquot délégua ses pouvoirs à Edouard Werlé. Comme si le négoce de champagne ne pouvait et ne devait occuper qu'à lui seul son esprit et son énergie. L'Histoire lui donnera raison. En réalité, Madame Clicquot semble aussi avoir vécu ces entreprises annexes avec un certain recul, mais un recul non dénué d'intérêt : si un bénéfice pouvait y être trouvé, elle le prendrait. Au cas contraire, elle assumerait ses engagements. Ce qu'elle fit d'ailleurs avec une grande honnêteté.

Pour assumer tous ses soucis, Madame Clicquot était très seule. Il lui faudra attendre le moment où Edouard Werlé prit de l'envergure dans la maison pour qu'elle partage avec lui ces lourdes responsabilités. Certes, elle communiquait beaucoup avec Louis Bohne, mais essentiellement par courrier. Manifestement, elle ne parlait pas, ou peu, de ses affaires avec son gendre, Louis de Chevigné. Bien que ce dernier ait su obtenir d'elle tout ce qu'il voulait, jamais Mada-

me Clicquot ne le laissera approcher ses affaires de près. Elle l'adorait, mais ne perdit jamais de vue son caractère joueur, dépensier, insouciant, et eut la clairvoyance de toujours le tenir écarté des décisions de la société.

C'est sans doute pour combler ce vide affectif, mais aussi parce qu'elle avait un caractère extrêmement généreux, que Madame Clicquot succomba maintes fois à des excès d'indulgence. Louis de Chevigné sut en profiter largement. Mais peut-on le lui reprocher? Lui qui a apporté à sa femme et à sa belle-mère fantaisie, gaieté, charme et ouverture d'esprit. D'ailleurs, Madame Clicquot ne se privait pas d'apprécier et, mieux, de profiter de toutes ces qualités : son gendre la distrayait et lui changeait les idées. Cela lui coûta beaucoup d'argent, mais l'harmonie de sa petite famille méritait bien quelques débours...

Madame Clicquot s'est révélée aussi une femme pleine de franchise et d'honnêteté. D'un malheur, la perte de son mari, elle tirera l'énergie pour mener une vie passionnante car bien remplie. Déterminée et persévérante dans sa vie professionnelle, Madame Clicquot fut pleine de générosité et de gentillesse envers sa famille. Cette grande humanité dont elle fit preuve dans sa vie privée rend le personnage infiniment émouvant et attachant.

Ce tableau a été peint vers 1860-1862. Léon Cogniet a représenté Madame Clicquot et son arrière-petite-fille, Anne de Mortemart-Rochechouart, future duchesse d'Uzès, un peu arbitrairement sur fond de château de Boursault. De ce portrait, il a toujours été dit qu'en principe, le peintre avait prévu de faire figurer une levrette couchée aux pieds de Madame Clicquot. Mais cette dernière, en raison de l'accident survenu à son neveu Adrien Ponsardin, décédé des suites de la morsure d'un chien enragé, détestait toute espèce canine. En définitive, la grâce juvénile d'Anne de Mortemart ne fait qu'ajouter au charme de ce portrait.

CHAPITRE 2 : ÉDOUARD WERLÉ

Ce portait d'Edouard Werlé, qui appartient à Veuve Clicquot, fut peint par Léon Cogniet en 1866. Ce même Léon Cogniet qui fit les deux portraits de Madame Clicquot : le premier, qui la montre assise dans son fauteuil, devenu depuis une sorte d'emblème de la maison. Ainsi que celui où elle est représentée avec son arrière-petite-fille, Anne de Mortemart. Amateur de peinture, Edouard Werlé ne résista pas au plaisir de se faire lui aussi immortaliser par l'artiste qui était en quelque sorte le portraitiste officiel de Madame Clicquot.

Matthieu Edouard Werlé est né le 31 octobre 1801 à Wetzlar, ville libre de la ligue hanséatique. Il est issu d'une famille de la haute bourgeoisie aisée qui, par ailleurs, était d'origine alsacienne. Un Werlé figurera parmi les noms inscrits sur l'arc de Triomphe : celui d'un lieutenant général mort en Espagne en 1811 sur un champ de bataille. Le père d'Edouard Werlé, Jean Adam, occupait les importantes fonctions de maître de poste des services de diligences de la famille des Thurn-und-Taxis à Hattersheim.

A vingt ans, le 1er août 1821, Edouard Werlé arrive à Reims. Il est orphelin, sa mère étant décédée le 21 juin 1812 et son père le 23 octobre 1817. La légende affirmant qu'il se présenta à Madame Clicquot en sabots et guenilles est émouvante... mais totalement inexacte! Il avait en réalité hérité d'une fortune importante pour l'époque, environ 15 000 livres de rente. Edouard Werlé fut introduit auprès de Madame Clicquot par l'intermédiaire de Monsieur Lennig, un gros marchand avec lequel elle était en affaires et dont le fils venait d'ailleurs de passer une année de stage dans les bureaux de la maison. C'est aussi pour apprendre le français et se familiariser avec la marche d'une maison de commerce qu'Edouard Werlé avait décidé de venir à Reims. Il ne se doutait pas qu'il y ferait sa vie, sa notoriété et... sa fortune.

Ses débuts furent extrêmement discrets : Edouard Werlé se tenait à l'écart, travaillait le français avec acharnement et apprenait à découvrir en silence tous les rouages de la maison. Intelligent, sérieux, attentif, doué d'un sens aigu de l'organisation et de la gestion, Edouard Werlé acquit très vite la confiance de Madame Clicquot. Confiance bien placée, car il évita que la banque Clicquot et les investissements dans les filatures ne tournent en véritable catastrophe : au moment de la déconfiture de la banque Poupart de Neuflize, dans laquelle Madame Clicquot avait des dépôts importants, Edouard Wer-

lé n'hésita pas à se porter personnellement caution afin de préserver le nom et la réputation de Madame Clicquot. Cette dernière s'étant absentée pour quelques semaines dans la famille de son gendre, en Vendée, Edouard Werlé sut prendre les décisions qui s'imposaient.

Ayant acquis une position de notable en une dizaine d'années, il devint l'associé de Madame Clicquot en 1831 et, la même année, obtint la naturalisation française. Edouard Werlé fut admis dans la haute société rémoise, comme en témoigne Barbat de Bignicourt dans *Un salon à Reims en 1832* : "Mme Clicquot, au nom dès lors européen, vient de paraître. Sa grande réputation commerciale est maintenant à son apogée; elle est suivie de son gendre, le comte de Chevigné, qui n'a pas encore écrit ses contes, occupé qu'il est, peut-être, à les faire. Elle est accompagnée d'un jeune homme à la taille très haute, au regard intelligent, qu'elle a su s'attacher depuis quelques années déjà et qui a été admis d'autant plus facilement dans le salon de M. Andrieux, qu'il a de suite été jugé digne de figurer dans la grande partie de whist, car c'est un joueur de première force. Ce jeune homme, allemand d'origine, ira loin et de hautes destinées l'attendent à Reims même; il se nomme M. Werlé."

Edouard Werlé épousa, le 20 septembre 1836, Louise-Emelie Boisseau, issue de la bourgeoisie fortunée de Reims et alliée à la maison de champagne Roederer. De ce mariage naquirent deux enfants : Alfred, le 23 septembre 1837, et Mathilde, le 10 avril 1840. Cette même année, débuta la construction de l'hôtel du Marc, où Edouard Werlé déménagea peu après avec sa famille.

Doté d'une force de travail peu commune, Edouard Werlé était, vis-à-vis de ses employés, autoritaire, intransigeant, voire rigide, mais juste. Il ne fléchissait sur rien, comme l'illustrent bien deux anecdotes restées célèbres : de temps à autre, Edouard Werlé se faisait apporter les

De très grande taille, d'un port altier, d'une allure distinguée, Edouard Werlé impressionnait aussi bien par son physique que par son caractère. Intelligent, droit, travailleur, manquant certainement d'un peu de fantaisie, il fut un grand organisateur. Il arriva chez Madame Clicquot à une époque où, la société prenant de plus en plus d'ampleur, ses qualités correspondaient exactement aux besoins du moment.

Bien qu'il imposât à son épouse un train de maison simple, Edouard Werlé n'était économe ni pour ses chevaux, qui étaient toujours superbes et attelés par quatre, ni pour ses tenues vestimentaires extrêmement soignées. Il avait également un faible pour les tableaux.

principaux livres de comptabilité et, pendant plusieurs heures, se livrait à des vérifications minutieuses. Puis il rendait les livres à ses employés avec cette petite phrase délicatement ironique : "Messieurs, il m'est si agréable d'avoir en vous une parfaite confiance, que c'est toujours pour moi un plaisir de vérifier qu'elle est justifiée!" Ou encore : à un employé qui sollicitait un poste supérieur devenu vacant, il répondait, laconique : "Il ne suffit pas que la place convienne à l'homme, il faut aussi que l'homme convienne à la place." Le personnel, tout à la fois, le craignait et l'admirait. Il n'admettait pas que les ouvriers perdent du temps à parler entre eux pendant les heures de travail, mais, en revanche, il leur versait un demi-salaire en cas de maladie, et même leur salaire entier en cas d'accident du travail. Son sens social prend toute sa mesure dans les énormes efforts qu'il a déployés pour la population rémoise.

Dans sa famille, Edouard Werlé était aussi quelquefois un peu tyrannique : après le dîner, rue du Marc, il allait dans son bureau communiquant avec le premier salon. Il exigeait que les autres personnes de la famille prennent place dans ce salon, la porte de communication ouverte entre les deux pièces, et de ne rien entendre. Ce qui obligeait, bien sûr, tout le monde à parler à voix basse! Nonobstant ce genre d'attitude, Edouard Werlé sut être un père attentif et très généreux. Il avait une infinie tendresse pour sa fille Mathilde, qui épousa Louis Magne en 1860, fils du ministre des Finances de Napoléon III. Par égard pour elle et se révélant d'une invraisemblable indulgence, Edouard Werlé, durant toute sa vie, paya les dettes de jeu de son gendre. Travailleur acharné, Edouard Werlé n'en négligeait pas pour autant les vertus de la détente et du repos. Il avait des participations dans quelques belles chasses de la région et se rendait de temps en temps dans la petite maison de campagne qui lui venait de sa femme, à Pargny, tout près de Reims.

Edouard Werlé vieillissant, son autoritarisme s'était un peu adouci. Il était devenu capable de certaines largesses vis-à-vis de son entourage. Sa fin fut hâtée par une mauvaise chute qu'il fit dans l'escalier aux marches étroites, usées et glissantes qui, dans les anciens bureaux de la rue du Temple, menait du rez-de-chaussée au premier étage. A la veille de sa mort, Edouard Werlé, qui était veuf depuis 1876, fit venir chez lui successivement ses enfants et petits-enfants, puis l'ensemble des cadres de la maison, et leur fit ses adieux avec calme et sérénité. Il décéda le 6 juin 1884, à près de quatre-vingt-trois ans.

Ses obsèques eurent lieu le 10 juin, et, malgré un temps détestable, une foule considérable s'était massée sur le passage du cortège funèbre. Dans le *Courrier de la Champagne,* qui relate la cérémonie, un détail touchant vaut d'être relevé : "Durant le service, un pauvre ouvrier s'est avancé au pied du catafalque et y a déposé une petite et maigre couronne, qui était bien un don personnel, humble témoignage d'un vif et respectueux attachement." Parmi les discours qui furent prononcés, celui d'Henri Henrot, alors maire de Reims, résume bien la personnalité du défunt : "M. Edouard Werlé, si exceptionnellement doué, s'était fait une place hors cadre partout où l'ont poussé son activité et son incessant besoin d'être utile : sa vaste intelligence, son expérience consommée des hommes et des affaires, son travail opiniâtre, sa volonté obstinée lui assuraient partout une influence prépondérante.

"Dans les discussions, sa parole, hésitante au début, s'échauffait vite et devenait convaincante et persuasive, parfois mordante et ironique; quand la contradiction le surexcitait, elle était souvent éloquente. Ainsi s'explique l'ascendant puissant qu'il a su exercer sur la plupart des gens qui l'approchaient. Autoritaire par tempérament et par conviction, M. Werlé possédait éminemment le don de la persuasion, si nécessaire à ceux qui veulent dominer et diriger un parti."

Edouard Werlé fut élu en 1838 juge suppléant au tribunal de commerce, devint juge en 1840. Il sera appelé à la présidence en 1846. A cette époque, il fut également élu membre de la chambre de commerce. Dans ses fonctions au tribunal de commerce, où, disait-il, il avait beaucoup appris, Edouard Werlé mettait autant de soin à traiter les petites affaires que celles plus importantes : il lisait tous les dossiers chez lui le soir et rédigeait lui-même les jugements.

Parallèlement, Edouard Werlé était entré au Conseil municipal en 1843. Il fut appelé à faire partie de l'administration municipale provisoire fin 1848, après l'abdication de Louis-Philippe. Il exerça ensuite les fonctions de maire de 1850 à 1868. Lors de son élection officielle, il prononça un discours qui montre bien, tout autoritaire qu'il pouvait être, qu'Edouard Werlé n'en n'était pas moins un homme de cœur : "... Je dois compte des motifs qui m'ont fait accepter la haute fonction à laquelle je viens d'être élevé. J'ai considéré que la reconnaissance me faisait un devoir d'accepter la charge à laquelle j'étais appelé, et je crois, en consacrant mon temps et mon activité à la ville de Reims, lui payer la dette que j'ai contractée envers elle, car, je me plais à le reconnaître, c'est elle qui m'a fait ce que je suis, c'est à elle que je dois la situation que j'occupe (...). Je tiens à vous promettre et à vous assurer que je consa-

crerai aux affaires de la ville, à son bien-être, à son embellissement, à sa grandeur, toutes mes forces, toute mon activité..." Edouard Werlé tint largement sa promesse.

En 1850, Reims était encore corsetée par ses vieux remparts, les rues étaient mal alignées, mal pavées et traversées par de larges ruisseaux d'écoulement des eaux usées. Les finances de la ville étaient largement déficitaires, et une grande misère régnait parmi les ouvriers.

Par une gestion prudente et intelligente, Edouard Werlé rééquilibra le budget municipal et entreprit ensuite d'énormes travaux de voirie qui, rendant la ville plus moderne, fournirent également du travail aux très nombreux chômeurs. Sur l'emplacement des remparts, furent tracés de vastes boulevards bordés d'immeubles en pierre de taille, de jardins, de kiosques à musique. Un vaste plan d'alignement entraîna la destruction d'îlots insalubres et le percement de la majeure partie des grandes rues actuelles de Reims. La construction d'un théâtre, de plusieurs écoles, bains, lavoirs publics, la restauration de plusieurs églises, mais aussi l'édification "d'habitations économiques" en dehors des anciens murs d'enceinte vinrent compléter ces importants remaniements. Date également de cette époque la mise en place du premier réseau d'égouts de la ville.

Dans le même temps, Edouard Werlé déploya d'importants efforts pour que la ligne de chemin de fer des Ardennes aboutisse à Reims, au lieu de suivre la vallée de l'Aisne comme initialement prévu. Le 4 juin 1854, la première locomotive venant d'Epernay entrait en ville sur une voie provisoire. D'autres lignes suivirent rapidement, celle de Laon en 1857, celle de Charleville un an plus tard, celle de Soissons en 1862, celle de Châlons en 1863. La gare fut achevée en 1860.

Edouard Werlé avait organisé une grande fête pour l'arrivée de la première locomotive à Reims. La machine, enguirlandée de feuillages et de drapeaux, avait reçu la bénédiction du cardinal Gousset, ami et confesseur d'Edouard Werlé.

Monsieur le maire encensé par son secrétaire de mairie. Edouard Werlé ne manquait pas d'un certain humour, puisqu'il conservait cette caricature dans son bureau.

A partir de 1862, Edouard Werlé fut élu député au corps législatif. Il y sera réélu en 1863 et 1869. Dès son élection, il manifesta son goût pour les travaux sérieux et fut nommé membre de la commission du Budget et des commissions de la Loi départementale, de la Loi communale et de l'Instruction spéciale. Lorsque la guerre de 1870 éclata, Edouard Werlé fut amené à rencontrer Bismarck à deux reprises. Une première fois, le 10 septembre 1870, l'industrie rémoise étant arrêtée, faute de combustible et d'argent, Edouard Werlé sollicita en effet du chancelier de Prusse la permission de faire venir des houilles de Belgique par les chemins de fer, ainsi qu'un laisser-passer en faveur d'une délégation chargée d'aller demander au siège de la Banque de France la réouverture de sa succursale de Reims. Il obtint gain de cause.

Trois jours plus tard, les deux hommes eurent à nouveau un entretien, beaucoup plus long, et qui se serait déroulé en français, alors que tous deux étaient de langue maternelle allemande. Durant cette conversation, Edouard Werlé aurait essayé de faire comprendre à Bismarck que les conditions qu'il exigeait pour la signature de la paix étaient inacceptables. Le chancelier de fer n'accéda malheureusement pas aux légitimes remarques d'Edouard Werlé. Survint alors la chute de l'Empire, et Edouard Werlé cessa aussitôt toute fonction officielle. Il consacra la fin de sa vie à la gestion de sa maison et s'intéressa activement à la mise sur pied de l'enseignement libre. Sur son lit de mort, il s'occupait encore des intérêts de cette grande œuvre, "persuadé qu'il ne pouvait rien faire de mieux pour se préparer à paraître devant Dieu".

Parmi les importants travaux réalisés par Edouard Werlé, l'un d'eux lui tint particulièrement à cœur : ce fut l'établissement d'une maison de retraite pour les ouvriers, aujourd'hui détruite. Edouard Werlé la finança personnellement presque dans son entièreté et en visitait souvent les pensionnaires. Jusqu'à la fin de sa vie, cette maison de retraite fit partie de ses préoccupations constantes.

Enfant aîné et seul fils d'Édouard Werlé, Alfred Werlé naquit le 23 septembre 1837. Dès l'âge de vingt ans, il travailla avec son père. Alfred n'eut qu'une sœur, Mathilde, de deux ans et demi sa cadette, qui épousa Louis Magne, fils du ministre des Finances de Napoléon III.

Alfred Werlé peint par Emile Wauters. Ce tableau fait partie de la galerie de portraits de ses dirigeants que la maison possède.

Médaille éditée par la maison pour commémorer les cinquante années qu'Alfred Werlé passa à la tête de la maison, de 1856 à 1906.

Sur bien des plans, Alfred Werlé était extrêmement différent de son père. Il n'avait ni son exceptionnelle force de travail, ni cette sorte d'ascétisme dont Edouard Werlé savait faire preuve dans la vie quotidienne. Beaucoup plus épicurien, Alfred Werlé adorait la bonne chère, ses portraits le montrent d'ailleurs sujet à un certain embonpoint. Il fumait, ce qui mettait son père hors de lui. Son gendre, Bertrand de Mun, décrit Alfred Werlé comme très bel homme, d'une prestance avenante, très bon cavalier et extrêmement adroit de ses mains.

Tenu rigoureusement sous sa férule, Alfred Werlé, tout à la fois, admirait son père, mais était aussi terrorisé par lui. Son mariage avec Mathilde Lannes de Montebello lui apporta heureusement beaucoup. Outre le fait qu'il adorait sa jeune femme, Alfred Werlé découvrit dans le milieu Montebello une liberté, des usages, des mœurs de grande société dont il n'avait jusque-là jamais eu la notion.

Lorsque Alfred Werlé se marie, le 6 juillet 1865, Madame Clicquot est encore de ce monde et elle fera don au jeune couple d'une partie du terrain se trouvant derrière la maison de commerce, rue du Temple. De grands jardins s'étendaient alors jusqu'à l'actuel boulevard Lundy, et, dans ces jardins, Edouard Werlé finança la construction d'un hôtel particulier pour son fils. Après la mort d'Alfred Werlé, en 1907, cet hôtel fut habité par Bertrand de Mun et fut par la suite vendu à la famille Olry-Roederer.

Dans l'hôtel du Temple, la vie était infiniment plus décontractée et plus conviviale qu'à l'hôtel du Marc. Concourait à cette ambiance chaleureuse la présence des cinq enfants d'Alfred et de Mathilde Werlé. La maison était souvent remplie d'invités, et les dîners, très gais, se terminaient souvent fort tard, alors que, chez Edouard Werlé, aucun repas ne devait durer plus d'une demi-heure.

L'aîné, Edouard, naquit le 16 juillet 1866. Il avait une certaine ressemblance physique avec son grand-père, mais souffrait d'une santé très médiocre. Il entra dans la maison Veuve Clicquot en 1893 et épousa trois ans plus tard Adrienne Deviolaine, dont les parents étaient propriétaires de la verrerie de Vauxrot. Le ménage fut installé dans la petite propriété de Pargny, et Edouard Werlé y mourut sans descendance à l'âge de trente-neuf ans.

Des trois filles qui suivent viendront, avec au moins un représentant par famille et par génération, les futurs dirigeants et administrateurs de la société : Eléonore, qui naquit le 27 mars 1869 et épousa Erhard de Nazelle. Ils eurent quatre enfants. Suit Marthe Werlé, née le 18 septembre 1870, qui épousa Bertrand de Mun. Leur fille unique, Simone, épousa Bertrand de Vogüé. Vient ensuite Marcelle Werlé, qui épousa Pierre de Caraman-Chimay. La dernière fille, Emilie, née le 1er mai 1881, entra dans les ordres.

De sa mère, Alfred Werlé tenait une petite maison de campagne située dans le village de Pargny, à quelques kilomètres à l'ouest de Reims. Cette demeure s'appelait à l'origine la "Maison Bas-Lainière", et, par déformation, son nom devint beaucoup plus exotique, se transformant en "Baleinière". Alfred Werlé et son épouse

ayant installé leur fils, Edouard, à la Baleinière, ils se décidèrent vers 1890 à faire construire un somptueux château. Dans un genre différent, le château de Pargny n'avait rien à envier à Boursault. L'emplacement, à mi-côte et le long d'une route communale, avait été très mal choisi : la construction commencée, il fallut acheter, à prix d'or et mètre par mètre, tous les petits jardins alentour pour pouvoir édifier les dépendances et planter le parc. Ces dépenses imprévues empêchèrent de mener à bien l'ameublement et la décoration intérieure qui, luxueusement commencés, ne furent jamais terminés. Sévèrement bombardé pendant la Première Guerre mondiale, le château fut si endommagé qu'aucune remise en état ne put être envisagée. Alfred Werlé, qui décéda le 24 mai 1907, n'eut pas connaissance de ce désastre. Il ne reste aujourd'hui du château que quelques ruines, parmi lesquelles les arbres ont poussé, et qui servent de terrain pour les fêtes communales.

La maison des gardiens.

La cuisine et la salle à manger.

L'aile nord du château après les bombardements.

Cette aquarelle d'Emile Auger, peinte en 1908, montre l'entrée de l'hôtel du Marc, côté rue du Marc. Pour accéder à l'hôtel du Marc par cette rue, il faut traverser le porche d'une maison, laquelle fait partie des immeubles achetés par Madame Clicquot en 1822. L'hôtel du Marc, moins ancien, a été construit dans le jardin, perpendiculairement au bâtiment visible sur ce dessin.

L'emplacement sur lequel est construit l'hôtel du Marc fut acheté par Madame Clicquot en 1822. A cette même époque, elle avait installé en face, rue du Temple, le siège social de la maison. Pourquoi Madame Clicquot s'était-elle intéressée à cet ensemble immobilier? Sans en connaître formellement la raison, il est vraisemblable que Madame Clicquot ait pensé y loger du personnel et se servir des caves. C'est en 1840 que commencèrent les travaux de construction de l'hôtel du Marc, initiés par Edouard Werlé. Edouard Werlé racheta en 1845 à Madame Clicquot le terrain qui lui appartenait. Un an plus tard, en juin 1846, il se porta également acquéreur du superbe pavillon de Muire qui lui servit pendant très longtemps, autre temps autres mœurs, de logement pour ses cochers!

En 1860, lorsqu'il mariera sa seule fille, Mathilde, avec Louis Magne, le fils du ministre des Finances, Edouard Werlé donnera à l'hôtel du Marc une somptueuse réception. Etant donné ses hautes fonctions municipales puis parlementaires, il est probable que cette réception ne fut pas la seule. Quand fut déclarée la guerre de 1870, l'état-major prussien occupa la rue du Marc. Indifférent à ces contingences guerrières et voulant rester maître chez lui, Edouard Werlé entendait maintenir dans sa maison l'occupant silencieux et obéissant. Entre autres, ayant une sainte horreur de l'odeur du tabac, Edouard Werlé tenta d'empêcher les officiers prussiens de fumer dans sa demeure. Peine perdue! Des propos vifs furent échangés, mais le maître des lieux n'obtint pas gain de cause.

Document daté du 29 mai 1920, attestant le classement du pavillon de Muire parmi les monuments historiques. Après cette décision, de gros travaux de charpente et de toiture furent entrepris.

Au décès d'Edouard Werlé, l'hôtel du Marc resta quelque temps inhabité mais soigneusement entretenu par son fils Alfred, qui possédait sa propre maison dans les jardins de la rue du Temple. L'ingénieur Flavien, qui visita l'hôtel, le décrit ainsi dans *"Les Grandes Usines de Turgan"* : "La maison qu'habitait de son vivant M. Werlé père, non seulement existe encore rue du Marc, mais elle est conservée et entretenue par son fils avec un soin pieux dans l'état précis où le maître l'a laissée. En la parcourant, il semble qu'on va le rencontrer à chaque pas. C'est une demeure grandiose et simple à la fois, et dont l'ornementation intérieure, qui comprend des tableaux de maîtres de diverses écoles, témoigne d'une intelligence éclairée et d'un goût sûr."

En face de l'hôtel du Marc, du côté de la cour, se trouve le pavillon de Muire. Avant de porter ce nom et sur son emplacement actuel, se trouvait une maison qui appartint à Monsieur de Bransecourt, ami personnel de Théodore de Bèze, célèbre organisateur de la Réforme en France, ami et successeur de Calvin à Genève. C'est là que se réunissaient les protestants rémois, et c'est là que Théodore de Bèze rencontra, en 1561, le cardinal Charles de Lorraine. L'entrevue ne donna rien, chacun restant solidement campé sur ses positions. Pussot, un Rémois de cette époque, raconte la scène suivante : "... arestay audevant de ladicte maison; où estoit un grand nombre de personnes regardant pour ce que ledict Théodore de Bèze estant sur son partement, venant de conférer avec Monseigneur le cardinal de Lorraine (que Dieu absolve) mectant le pied à l'estrier, dict aultement, parlant à son hoste ledict sieur de Bransecourt, présent toute la compaignie, ces mots que j'entendis facilement, disant : "si j'avois telle eloquence Monseigneur le cardinal de Lorraine, j'esperrois convertire et rendre moictié des personnes de la France à la religion de laquelle fay profession." Le lieu aurait pu entrer dans l'Histoire, mais ce ne fut pas le cas!

C'est en 1565 que Noël de Muire sollicita du Conseil de ville l'autorisation de rebâtir sa maison à l'alignement de sa voisine à l'enseigne de "L'Ecu de France". Il est plus que probable que le pavillon de Muire était à l'origine une partie d'un ensemble plus vaste, cependant, aucun document ne permet de le prouver.

Après la mort d'Alfred Werlé en 1907, la société racheta l'ensemble de la rue du Marc. Peu après, Bertrand de Mun voulut détruire le pavillon de Muire et les maisons voisines pour construire des bâtiments industriels. Ce projet déclencha un véritable tollé parmi la population rémoise et fut heureusement finalement abandonné.

Durant la Première Guerre mondiale, l'hôtel du Marc fut endommagé par de nombreux éclats d'obus, qui ont laissé sur certaines parties du bâtiment de durables cicatrices de l'Histoire. Mais, tandis que l'ensemble du quartier fut dévasté par les bombardements, l'hôtel du Marc et le pavillon de Muire échappèrent à la destruction. Au cours de la Seconde Guerre mondiale, l'hôtel du Marc accueillit d'abord des officiers de la Royal Air Force. Puis l'hôtel fut rapidement réquisitionné pour abriter la Kommandantur allemande.

Récemment, l'ensemble de la décoration intérieure a été refaite. Boiseries et meubles ont été restaurés. L'hôtel du Marc, retrouvant ses fastes d'antan, abrite aujourd'hui les réceptions données en l'honneur des clients les plus importants de la maison. De nombreuses personnalités du monde des affaires, de la diplomatie, du spectacle, de la gastronomie, de la presse... y sont venues. Dans ce cadre prestigieux et raffiné, ces hôtes y trouvent un accueil personnalisé et chaleureux.

Quelques-unes parmi les nombreuses traces d'éclats d'obus qui subsistent sur les façades de l'hôtel.

CHAPITRE 3 : LA MAISON VEUVE CLICQUOT PONSARDIN

Une quittance, datée du 4 février 1718 et délivrée à Jean Clicquot, oncle de Philippe Clicquot, atteste de droits payés pour le transport et la livraison de vin. Ce document, très antérieur à la date de fondation de la maison, atteste bien qu'au début du XVIII siècle, la famille Clicquot vendait déjà des vins.

Le 3 janvier 1772, Philippe Clicquot fait paraître un avis dans la *Gazette de France* indiquant qu'il "fonde négoce de vins à l'enseigne Clicquot". Ledit avis précise que le "sieur Clicquot est banquier, commerçant en étoffes et propriétaire de vignes en lieux-dits champenois de haute renommée" et qu'il se propose de "franchir les frontières du royaume pour porter au goût des étrangers la finesse des vins de Champagne". Cri de Rastignac ou ban d'ouverture d'une croisade, Philippe Clicquot, à vingt-neuf ans, prend rendez-vous avec l'histoire ! Cette année de 1772 marque donc pour lui le démarrage officiel dans la profession de négociant en vins de Champagne. Avant cette date, la famille Clicquot devait déjà vendre le produit de ses vignes à ses amis et relations. De nombreuses familles bourgeoises de Reims, propriétaires de vignobles, procédaient d'ailleurs de la même façon.

En faisant passer cette annonce dans la presse de l'époque, Philippe Clicquot se donnait le moyen d'élargir sa clientèle pour développer ses ventes de vins. Ses affaires commerciales étaient en effet extrêmement diversifiées, allant du négoce de laine à la vente de tissus de toutes sortes, mais aussi au placement de savon, teintures, poix et résine, ou encore de denrées alimentaires comme des pommes de terre, des carottes, des "tonnelets de fromage de Gruyer" ou des pots de moutarde. Comme tous les négociants de sa génération, Philippe Clicquot était également, plus pour des raisons pratiques que par vocation ou fortune, un peu banquier : exportant ses produits ou les vendant en dehors de sa propre ville, étant lui-même acheteur de matières premières ou de produits étrangers, il était bien obligé de faire des échanges ou de cautionner des effets de commerce.

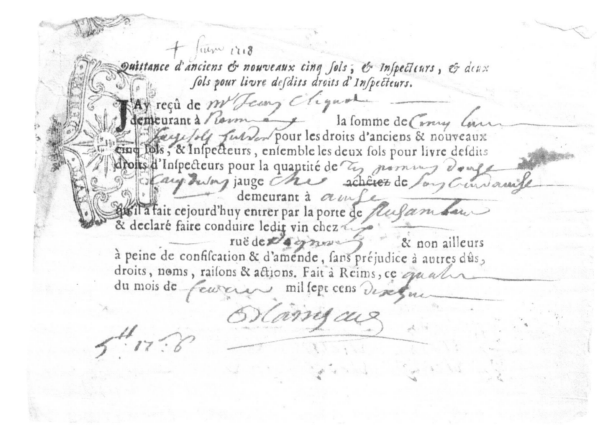

En août 1772, Philippe Clicquot épouse Françoise Muiron. Sa raison sociale devient alors "Clicquot-Muiron". Comme il l'indique dans plusieurs correspondances à ses clients, il joint alors ses activités à celles de son beau-père Muiron-Vouette, également négociant, qui se retire des affaires. Parmi ses clients en vins de Champagne, nombreux sont ceux avec lesquels il est déjà en relation commerciale pour la vente d'étoffes ou de laine. Figurent également quelques auberges : "Auberge des Trois Voix" à Colmar, chez Monsieur Schmidt, "A la Couronne" à Bâle, "L'Aigle d'Or" à Constance, ou des épiciers, "Monsieur Amion, épicier vis-à-vis le Palais-Royal à Paris", ou "Leclerc Cadet" à Vesoul. Le total annuel des expéditions oscille entre 4 000 bouteilles et 6 000 à 7 000 bouteilles pour les années les plus florissantes.

Pour Philippe Clicquot, le commerce des vins reste malgré tout une activité accessoire, à laquelle cependant il apporte un soin particulier. Toutes ses correspondances avec ses clients s'attachent à en vanter la qualité et la rareté; ainsi, il écrit à un client de Strasbourg : "... Mon vin ne me sera jamais à charge tant par sa qualité que par son prix sur lequel vous me faites des observations qui m'étonnent (...). Je suis sûr que mon vin comparativement au prix était bon, très mousseux, très égal." A ses commettants ou clients directs qui lui en font la demande, il refuse presque systématiquement remises et ristournes, leur précisant qu'il trouvera toujours preneur aux prix qu'il souhaite obtenir. Courageux et cohérent, l'homme était déjà très moderne.

On ne sait si Philippe Clicquot faisait partie des négociants importants et en vue de la ville de Reims. Bien qu'il ait été évidemment prudent dans sa correspondance transparaît tout de même son hostilité vis-à-vis de la Révolution. Ce qui peut laisser penser qu'il ne faisait pas partie des plus défavorisés. Mais quel bourgeois, travailleur et soucieux de gérer prudemment ses affaires, n'eût-il pas été dans le même état d'esprit? Il est certainement assez proche de la réalité d'affirmer que Philippe Clicquot faisait partie de cette classe sociale des bourgeois moyens, catholiques bon teint en pensée et en actions, et dont la Révolution écorna, par la force des choses, plus les revenus matériels qu'elle n'inquiéta leurs personnes et leurs familles.

En juillet 1792, à la veille de la Terreur, Philippe Clicquot envoie son fils unique, François, alors âgé de dix-huit ans, chez un banquier de ses amis et correspondants, Monsieur Mayer, qui se trouve à Saint-Gall, en Suisse. Le but de ce séjour est que François Clicquot apprenne les langues allemande et italienne et se forme à "la théorie du commerce" : "Faites provision de connaissances mercantiles propres à vous ménager des ressources pour l'avenir et une indépendance honorable qui puisse vous placer au-dessus des événements et des hasards de la fortune..." La formation du jeune homme sera interrompue en mars 1794, selon la décision du Comité de salut public qui a décrété, six mois plus tôt, la levée en masse et la mise en réquisition permanente de tous les Français âgés de dix-huit à quarante ans. Ceux qui sont à l'étranger n'échappent pas à cette mesure. Philippe Clicquot, sachant son fils de santé fragile, souhaite lui éviter "la vie rude de l'homme de troupe" et, à force de démarches et d'obstination, obtient pour lui un poste au "Comptoir national et commercial d'importation et d'exportation", qui se trouve alors en territoire français, aux portes de Bâle. En décembre 1796, soit après une absence de plus quatre ans, François Clicquot prend un congé de quelques mois pour rendre visite à ses parents. Son père va alors s'efforcer d'obtenir une dispense auprès des autorités : "Je me propose de lui remettre mes affaires, mon âge (il a alors cinquante-trois ans) et mes infirmités m'invitent au repos." Moyennant le versement d'une "certaine somme", la dispense arrivera en mars 1797.

Le but recherché à l'origine par Philippe Clicquot de "franchir les frontières" semble se réaliser peu à peu : ses expéditions sont pour l'Italie – Venise, Pavie, Milan, Turin –, l'Allemagne – Francfort, Hambourg –, la Suisse – Berne, Genève, Neuchâtel – ou encore la Belgique – Liège. Il fit aussi quelques envois lointains : le premier, et encore anecdotique à cette époque, hors d'un pays limitrophe de la France, sera pour la Russie. Il s'agissait d'un panier adressé en avril 1780 à Moscou chez Monsieur Renaud, négociant français, maison du sieur Kalkow, apothicaire, rue de la Werskoï. Un an plus tard, un autre panier était adressé à Innocent Bertolitti de Saint-Pétersbourg...

Victor Fievet, journaliste local qui a consacré une biographie à Madame Clicquot parue en 1865, décrit ainsi François Clicquot : "A cette époque, le commerce des vins blancs, à Reims, était dans des mains routinières, qui ne savaient pas donner à cette industrie le moindre développement. M. Clicquot se mit à observer autour de lui, étudiant les procédés connus et cherchant à se rendre compte des entraves que la routine apportait à ce commerce. Doué d'une conception vive et d'une activité presque ardente, il visita tous les vignobles d'alentour, descendit dans toutes les caves, compara, pesa, médita, puis jeta définitivement les bases d'un système commercial tout autre, et qui, dès les premières années de ce siècle, laissa voir que bien des choses allaient changer définitivement de face."

Signature de Philippe Clicquot.

Signature de François Clicquot.

Philippe Clicquot, miraculeusement ragaillardi par la présence de son fils à ses côtés, et aussi par le calme relatif suivant l'instauration du Directoire, renoue peu à peu avec ses clients français et étrangers. Il envoie son fils en voyage pour placer ses marchandises et ses vins, encaisser les sommes qui sont restées dues un peu partout du fait des événements révolutionnaires. D'abord en France, puis vers la Suisse, l'Allemagne, l'Italie, l'Autriche.

Dans ces années, fin 1796, courant 1797, la maison entreprend également une véritable opération de charme auprès de tous les Américains se trouvant en France et de tous les commissionnaires en relation avec les tout jeunes Etats-Unis : "J'ai l'honneur de vous offrir mes services en vins de Champagne de mes récoltes. En novembre dernier, Monsieur Jos Russel de Paris m'adressa de votre part une commission de 300 bouteilles de vin mousseux sur laquelle je vous prie de me dire votre sentiment pour l'expédition...", écrit Philippe Clicquot à Femerick, consul des Etats-Unis d'Amérique à Bordeaux. Les résultats furent assez positifs pour les Américains résidant en France, mais, en revanche, il faudra attendre 1832 pour que la maison exporte régulièrement aux Etats-Unis.

Après son mariage, le 10 juin 1798, avec Barbe-Nicole Ponsardin, François Clicquot devient véritablement l'associé de son père : le 20 juillet 1798, la raison sociale de la maison devient "Clicquot-Muiron & Fils".

C'est précisément pendant les trois ou quatre années qui vont suivre que la maison Clicquot va prendre une tournure capitale pour la suite de son histoire : elle devient une véritable entreprise de négoce de vins de Champagne, quasiment au sens que l'on donne aujourd'hui à ce terme. Ses ventes se développent, le vignoble familial, auquel était ajouté, selon les années, le produit de quelques vignes de parents proches

et d'amis fidèles, ne suffit plus. Cause ou effet de ce changement, les activités liées à tout autre produit que les vins seront progressivement abandonnées.

Le mérite de ce développement spectaculaire revient en majeure partie à François Clicquot, qui va savoir remettre en route sa maison, saisissant au bond un contexte politique et économique meilleur. Les débuts du Consulat sont, en comparaison de la dizaine d'années qui vient de s'écouler, beaucoup plus propices aux affaires. Tout au moins sur le sol français, la paix et le calme sont revenus et permettent aux entreprises de reprendre pied. Nourri des idées "exportatrices" ébauchées par son père et fort de la formation qu'il a reçue, François Clicquot va peu à peu instaurer une politique commerciale innovatrice : démarcher les pays étrangers avec l'aide de "voyageurs" attachés à la maison.

En août 1801, François Clicquot entreprend un long voyage qui le conduit vers la Suisse, la Souabe, la Bavière et l'Autriche. C'est en passant à Bâle qu'il rencontre Louis Bohne, chez qui il discerne d'éminentes qualités et qu'il engage immédiatement comme voyageur pour sa maison. Confirmant cet engagement, le père de François Clicquot lui écrit, le 21 octobre : "Nous sommes persuadés que vous justifierez la confiance que vous nous avez inspirée et la bonne réputation dont vous jouissez. Nous tâcherons de rendre votre sort utile et agréable. Nous nous flattons que l'engagement contracté avec vous, Monsieur, sera réciproquement heureux."

François Clicquot ne s'était en effet pas trompé sur son choix : Louis Bohne, malgré maintes difficultés, restera fidèlement attaché à la maison jusqu'à sa mort et sera un des artisans importants de son succès. Il sera aussi, en dépit de son éloignement, un précieux conseiller pour Madame Clicquot.

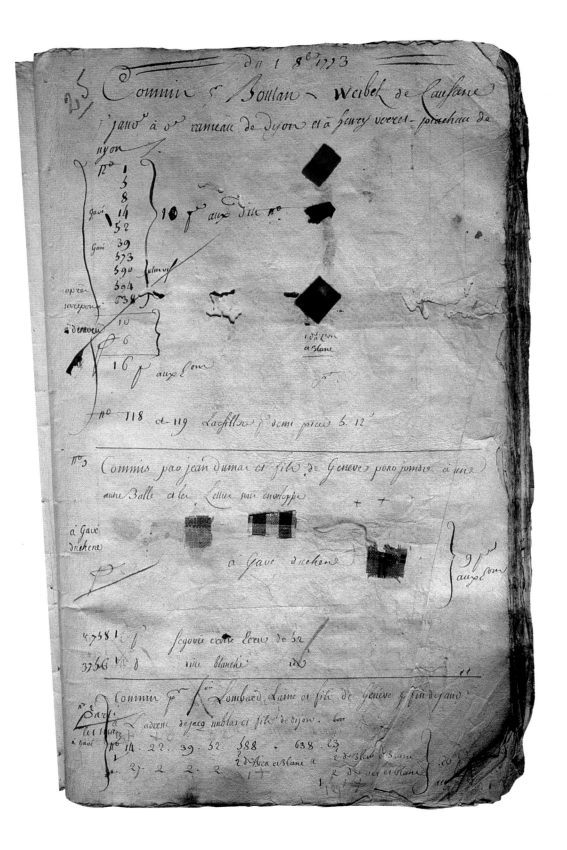

Livre de commissions de la maison Clicquot-Muiron : les commandes d'étoffes ou de laine, pour lesquelles des échantillons de référence étaient joints à la description des tissus, alternent avec les commandes de savon, denrées alimentaires diverses et vins de Champagne...

Un programme vaste et européen, telle est (déjà) l'ambition de Philippe Clicquot. Pour le détail, il s'en remet au savoir-faire de Louis Bohne, qu'il connaît à peine. Quelle preuve de confiance!

La marque à feu, Clicquot-Muiron & Fils, que la maison apposait alors sur ses bouchons.

Au mois de septembre 1801, Louis Bohne était venu à Reims. Il y avait fait la connaissance de Philippe Clicquot et s'était familiarisé avec le vin qu'il serait chargé de placer au cours de ses voyages. Ses premières correspondances retracent très exactement l'organisation commerciale nouvelle qui est en train de naître.

Le premier de ces voyages sera à destination de l'Angleterre, pays qui, deux mois plus tôt, le 1er octobre, vient de conclure une trêve avec Bonaparte. Malheureusement, ce voyage s'annonce désastreux, Louis Bohne a beau multiplier les démarches, il n'obtient aucun succès. Philippe Clicquot lui répond : "Votre lettre nous afflige, plus qu'elle ne nous étonne. Il était présumable que vous éprouviez à Londres quelques contrariétés pour la vente de nos vins. Nous avons pu craindre, comme les événements le justifient, la défaveur des circonstances qui a diminué le nombre des consommateurs en objets de luxe..." En cette année 1801, le champagne était, tant sur le plan de ses techniques d'élaboration que sur le plan de sa renommée internationale, bien loin de ce qu'il est aujourd'hui, et pourtant déjà considéré comme un objet de luxe. Quelle clarté dans le jugement!

Demandant à Louis Bohne de quitter l'Angleterre, Philippe Clicquot établit le programme à suivre : "... Vous vous rendrez de suite à Amsterdam. Nous ne faisons pas d'affaires dans ce pays. Nous présumons que votre séjour à Amsterdam ne sera pas long, ce pays offrant peu de ressources pour la vente de nos vins. Nous désirons que vous entriez en Allemagne, que vous parcourrez en totalité pour revenir par l'Autriche, la Hongrie et Trieste. Dans l'intérieur de l'Allemagne se trouve une quantité de petites villes où l'on peut faire des affaires avantageuses. Nous ne pouvons vous les désigner. Nous nous en rapportons à votre intelligence et à ce que vous jugerez le plus convenable pour nos intérêts…" Et, en janvier 1802 : "... Ne voulant pas étendre nos affaires à de longues distances, préférant la qualité à la quantité, nous ne prétendons pas établir et chercher des relations en Russie. Nous désirons resserrer le cercle de notre correspondance de manière à pouvoir l'entretenir sans risque, sans obstacle avec la facilité de suivre pour ainsi dire nos vins. La Prusse, la Pologne, la Saxe, l'Autriche, Trieste, Venise, l'Italie en partie peuvent suffire à nos vues et remplir notre objet." Pour la Russie, sa belle-fille, Madame Clicquot, fut moins timorée.

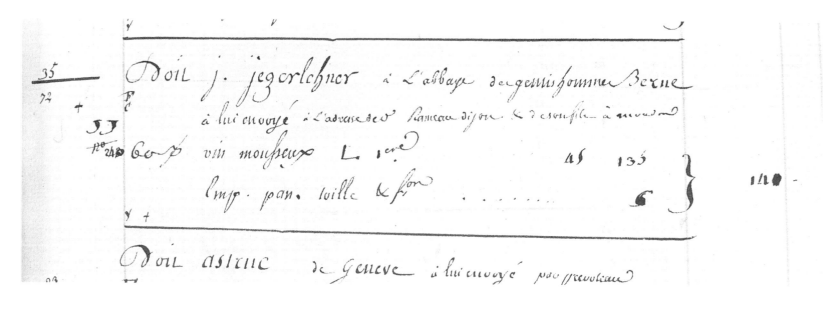

Le 19 janvier 1802, Louis Bohne débarque à Hambourg, point de départ d'un voyage de six mois à travers toute l'Europe centrale : "C'est une nouvelle entreprise pour vous et pour nous. C'est un commerce à établir dans un pays où nous ne sommes pas connus." De Nuremberg, il écrit : "C'est une ville grande, riche et pleine de gens qui aiment notre vin lorsqu'on leur en fait boire gratis. Stuttgart est un endroit à être considéré pour nos vins surtout sous le règne du souverain actuel qui sans en boire lui-même ne cesse d'en faire un emploi très conséquent dans les fêtes qu'il trouve l'occasion de donner ici fort fréquemment." Et Philippe Clicquot de répondre avec enthousiasme : "Vos observations relatives à la consommation de nos vins dans le pays que vous venez de parcourir annoncent en vous un voyageur attentif et réfléchi. Vous acquérez des connaissances et une sorte d'expérience qui peuvent à l'avenir nous être utiles." En juillet, Louis Bohne revient à Reims. C'est cette époque que choisit Philippe Clicquot pour se retirer définitivement des affaires. Il laisse toute sa confiance, méritée, à son fils François Clicquot, qui a alors vingt-huit ans : le 21 juillet 1802, la raison sociale de la maison devient "Clicquot Fils".

Le 18 octobre 1802, Louis Bohne quitte Reims pour un second voyage qui le conduit à nouveau vers Francfort, Göttingen puis Magdebourg, "lieu fort riche tant en négociants que rentiers de bonne noblesse", Brunswick, Hanovre, "passage usuel pour aller et venir de Hambourg, la noblesse est très riche et hautaine, mais consomme beaucoup de nos vins", Brême, Lubeck, Rostock, Stettin, puis, en février 1803, il se trouve à Dantzig, "une place bien intéressante pour nos vins. Ils font le commerce interlope entre nous et la Pologne. Ils importent jusqu'à 30 000 bouteilles de vin par an maintenant (...). On ne travaille que deux heures par jour depuis 9 heures jusqu'à 11 heures ou midi. Le négociant très solide et très aisé en général exerce encore l'ancienne hospitalité vis-à-vis des étrangers, mais il faut avoir mangé, bu et joué avec eux avant de leur parler affaires, et le plus sûr moyen d'en faire est d'avoir l'air de ne pas beaucoup s'en soucier". A l'occasion de ce séjour à Dantzig, Louis Bohne fait connaissance avec une notion qui lui était jusque-là inconnue : la concurrence des autres maisons, qui commencent elles aussi à employer des voyageurs : "Monsieur Ruinart est le matador en cette ville. (!)"

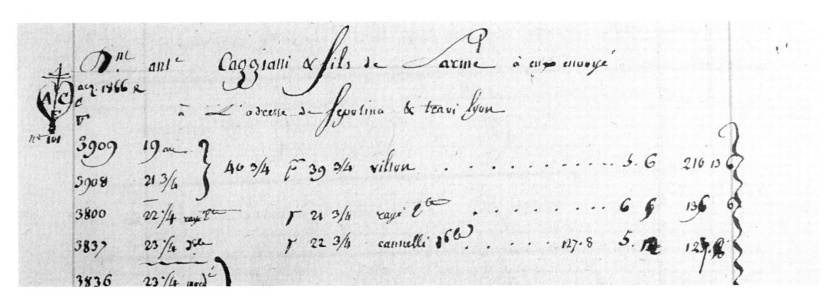

Un des nombreux carnets de voyage tenus par Louis Bohne. Il y consignait méticuleusement toutes ses visites, les auberges et relais de poste dans lesquels il s'arrêtait, ses impressions sur les pays et les villes qu'il parcourait...

Louis Bohne se dirige ensuite vers la Pologne : "Varsovie est sans contredit une capitale qui offre un débouché considérable pour nos vins mais il y a une grande différence entre vente et vente. Le commerce de cette ville depuis son changement de souverain et par sa révolution et émigration est devenu véreux. Il faut s'en tenir aux premières maisons, il n'y a ni seconde, ni troisième classe : tout ce qui outrepasse la première est mauvais et de principe et de fortune. Il faut, pour y faire de bonnes affaires, afficher le ton et les bonnes manières françaises, faire des connaissances parmi la plus haute noblesse polonaise qui y réside encore et qui, à la bonne foi, ajoute beaucoup de revenus (...). Ils aiment, comme à Cracovie, que nos vins, à beaucoup de liqueur joignent l'avantage et d'une parfaite clarté, et de faire sauter les bouchons sans être trop véhéments pour occasionner de la casse." Ressort ici une des différences fondamentales entre ce que pouvait être une maison de champagne au début du XIXᵉ siècle et ce qu'elle est de nos jours : chaque maison n'hésitait pas à adapter ses envois à la clientèle à laquelle ils étaient destinés. Une gamme de vin à laquelle le consommateur se conformait était inconnue. Il est vrai que l'élaboration du champagne procédait encore de méthodes empiriques et que la renommée de ce vin n'en était qu'à ses débuts.

Renommée que Louis Bohne travaillait à renforcer, en poursuivant son deuxième voyage à travers la Prusse. De Posen, en mars 1803, il écrit à François Clicquot : "... Le gouvernement prussien se donne toutes les peines pour attirer tout le commerce de ses états dans cette ville qui en est le centre. Pour cette raison, et parce que la noblesse des environs qui est fort riche et considérable, il y aura toujours des affaires à faire..." Puis ce sera Berlin, la Silésie et l'Autriche. Il sera de retour le 31 mai 1804, porteur d'un carnet surchargé de commandes pour les plus gros commerçants et les personnalités les plus en vue des régions qu'il a courageusement visitées.

C'est à partir de cet été 1804 que seront amorcées les bases du développement irréversible de la marque. Même si l'élan de la courbe des ventes sera quelques fois infléchi, voire certaines années presque brisé, eu égard aux événements politiques à venir, les deux premiers voyages de Louis Bohne auront permis de donner à la maison une dimension jamais atteinte auparavant. Il n'y a qu'à comparer les chiffres d'expéditions pour s'en convaincre : des 8 à 10 000 bouteilles annuelles des dernières années du XVIIIᵉ siècle, la maison atteindra le chiffre de 18 000 bouteilles vendues en 1801, plus de 26 000 en 1802 et 60 000 en 1804. Ce sont, bien sûr, les pays visités par Louis Bohne qui tiennent la vedette, Allemagne en tête, puis la Pologne, les ports de la Baltique et l'Italie. La France enregistre quant à elle un marché annuel avoisinant les 2 000 bouteilles, cette quantité moyenne restant longtemps la même, en dépit de l'augmentation générale. Il en sera ainsi jusque dans les années 1850.

Dès le retour de Louis Bohne à Reims, François Clicquot se donne les moyens de ses ambitions et engage deux voyageurs supplémentaires qui travailleront sous la tutelle de Louis Bohne, ce dernier devenant une sorte de directeur commercial : le premier est Henry Krüthoffer, qui sera chargé d'entretenir les relations établies en Europe centrale. Le deuxième, au nom prédestiné, est François Majeur, qui parcourra l'Italie. Quant à Louis Bohne, François Clicquot, à l'opposé de son père, lui demande d'aller en Russie.

Il y part en juillet 1804, visitant rapidement ses clients de Hambourg, Lubeck et Königsberg, passe à Riga en septembre et arrive à Saint-Pétersbourg au début du mois d'octobre. Ses premières impressions sur un pays dans lequel il fera par la suite des affaires brillantes ne sont pas très engageantes : "Le luxe excessif fait que le négociant, tous frais déduits, n'épargne rien, et que, dans une mauvaise année, il est perdu."

De Moscou au mois de janvier : "Notre article en cette ville est entièrement entre les mains des Russes qui y font de grandes affaires. En général, le commerce de cette place est excessivement véreux, la mauvaise foi y est à l'ordre du jour. On y considère les maisons étrangères comme des chèvres qu'il faut traire. Il faut à cet effet aussi souvent qu'une maison remet un ordre s'en informer derechef, pouvant être très bonne en un instant et très mauvaise six mois après, en raison de leur commerce de contrebande et de l'impunité de la banqueroute qu'on y traite comme une spéculation." Il faut croire que, malgré ce contexte, Louis Bohne sut tirer son épingle du jeu : à la fin 1805, plus de 25 000 bouteilles avaient été vendues en Russie.

Au lieu de rentrer à Reims, Louis Bohne repasse à Berlin et Hambourg et fait un crochet dans les pays scandinaves. De Copenhague, il décrit le caractère du commerçant danois comme "très rond et très loyal, et fort attaché à ses anciens amis. Ils ne demandent pas de crédit. On envoie nos vins aux Indes orientales et occidentales, en Chine, et ceux de Monsieur Jacob (un concurrent que Louis Bohne trouvera souvent sur sa route) y arrivent fort bien". En revanche, en Suède, Louis Bohne se heurte à des pratiques qui choquent sa probité : "Les ambassadeurs étrangers ont le droit d'importer autant de vins défendus ou non qu'il leur plaît pour leur propre usage. Le négociant sollicite alors chez eux la permission d'oser importer, par exemple, 2 000

Cette photo prise au tout début du siècle représente le "bien de Bouzy", que sa grand-mère Muiron légua à François Clicquot en août 1804. Ce "bien" était composé d'une petite maison et d'une dizaine d'arpents de vignes, soit environ 5 hectares. Entre cette prise de vue et la date à laquelle François Clicquot reçut son héritage, un siècle s'est écoulé; pourtant, les lieux qu'il connut ne devaient guère être différents de ceux-ci.

Ce pressoir construit en 1780 est certainement un des plus anciens de Champagne. Il se trouvait dans le cellier contigu à la petite maison familiale de Bouzy. Il a été restauré et réinstallé dans l'actuel vendangeoir de Verzy. François Clicquot et Madame Clicquot s'en servirent durant de nombreuses années. On dit même que Madame Clicquot s'installait dans la petite cahute qui le domine pour surveiller attentivement les pressurages.

bouteilles de ces différents vins, sous leur nom, pour lequel service ils font d'ordinaire un cadeau ou à son excellence ou à son secrétaire... De là vient que presque tous les consuls et valets de chambre d'ambassadeurs brocantent nos vins... L'habitant en général y est sobre et pauvre, ce dernier est aussi le cas chez le riche. Si cependant la défense devait être levée, il vaudrait la peine de cultiver ce pays, mais avec précaution, car le Suédois est ou parfait honnête homme ou chicaneur et fripon et la distance de chez lui chez nous est grande."

De Suède, Louis Bohne débarque à Dantzig au mois de septembre, passe par Reval, où il note que "cette place est l'une des plus véreuses de la Russie. Le luxe, la chicane et la mauvaise foi jointe à beaucoup d'hospitalité et de finesse, menacent ici le voyageur ou trop bonasse ou trop empressé de recevoir des ordres", et s'en retourne sur Saint-Pétersbourg. Il y parvient en novembre 1805 et y trouve une lettre qui lui annonce une nouvelle tragique : la mort prématurée, le 23 octobre, de François Clicquot.

A marche forcée, Louis Bohne revient à Reims où il arrivera un mois plus tard. On comprendra très bien qu'après un tel malheur, Philippe Clicquot, désespéré, et de surcroît retiré des affaires depuis trois années, veuille annuler tous les engagements pris par la société. Ce fut d'ailleurs sa première réaction : "La perte que nous venons de faire, en Monsieur Clicquot-Ponsardin, notre associé et fils qui s'occupait particulièrement du commerce, ne laisse ni à son père, ni à sa jeune veuve qui sont dans la plus grande affliction, l'intention de continuer les affaires dont il s'occupera seulement pour la liquidation." Toutes les correspondances de la fin de l'année 1805 dénotent l'intention formelle de cesser tout commerce. Les circonstances favorisent d'ailleurs cette décision : la récolte "est détestable", et les guerres dans lesquelles s'est engagé l'Empire sont loin de créer une ambiance des plus euphoriques.

Quelles sont alors les raisons qui ont poussé Madame Veuve Clicquot Ponsardin, qui vient juste d'avoir vingt-neuf ans, à reprendre les affaires de feu son mari? On ne peut naturellement que se borner aux hypothèses, puisqu'il n'est parvenu d'elle aucun écrit sur ce sujet. Elles sont de plusieurs ordres, sans qu'il y ait moyen de déterminer ni leur niveau d'importance ni leur degré d'interaction.

Le point de vue matériel est à considérer. La nécessité de pourvoir à ses besoins ne semble pas avoir été l'un des moteurs de la décision de Madame Clicquot. Son père, Nicolas Ponsardin, possédait une fortune importante et aurait vraisemblablement pu aider sa fille à élever Clémentine, enfant unique. Du côté de son époux, les parents de François Clicquot se retrouvaient avec une seule héritière, leur petite-fille Clémentine, et, là aussi, Madame Clicquot aurait pu trouver secours auprès d'eux. Pour étayer cette thèse, il est également nécessaire de préciser que Madame Clicquot rencontrera, dans les premières années de sa vie professionnelle, de nombreuses difficultés, et il semblerait qu'elle ait eu à renflouer l'affaire plutôt que celle-ci ne l'aurait fait vivre. La conclusion s'impose : l'indépendance financière de Madame Clicquot lui donnait, au moins sur ce plan-là, des raisons de poursuivre.

Des raisons personnelles, sûrement, et à plus d'un titre : la façon dont elle mènera sa société laissera apparaître d'indéniables qualités d'intelligence, doublées d'une vivacité d'esprit, d'un sens certain de la mesure et de la réflexion. Sans doute n'envisageait-elle pas de passer une vie qui n'aurait été remplie que par l'éducation de sa fille et par les soucis domestiques, ces derniers n'étant d'ailleurs pas sa préoccupation première. De plus, Madame Clicquot est issue d'une famille où la valeur du travail et la réussite par le travail ont toute leur importance : la réussite de son père, mais aussi celle de son beau-père en sont des exemples flagrants.

Ces paniers étaient le seul moyen de filtrage des jus de raisin à la sortie du pressoir.

La "Caisse particulière" de Madame Clicquot, livre dans lequel elle tenait ses comptes personnels.

Sur ce point, on peut aussi imaginer que Madame Clicquot n'ait pas voulu laisser sans suite les importants efforts déployés par son mari. En perdant son fils, Philippe Clicquot perdait en quelque sorte sa raison de vivre, l'être pour lequel il s'était battu et sur lequel il avait fondé beaucoup d'espoirs. Peut-être décida-t-elle de se lancer tout à la fois en hommage à la mémoire du défunt, mais aussi pour tenter de consoler son beau-père, avec lequel elle s'entendait bien puisqu'il sera associé dans la future entreprise.

L'influence de Louis Bohne n'est pas non plus à négliger. Rentré en toute hâte de Saint-Pétersbourg, il arrive à Reims environ un mois après l'enterrement de François Clicquot. S'il est permis de raisonner de cette façon en de telles circonstances, il faut bien avouer qu'un mois, c'est juste assez de temps pour avoir laissé à Madame Clicquot le temps de se remettre de son premier chagrin, mais c'est également un laps de temps trop court pour qu'aucune décision irrévocable n'ait été prise quant à l'arrêt de toutes les activités de la société. Les arguments de Louis Bohne pour convaincre Madame Clicquot ne manquaient certes pas de poids : 110 000 bouteilles de champagne avaient été expédiées dans le courant de cette année 1805, soit près du double de l'année précédente, et cela grâce aux succès remportés au cours de ses voyages.

Une dernière question qui, elle non plus, ne peut être élucidée de manière certaine est celle de savoir si Madame Clicquot avait travaillé ou non avec son mari. Dans l'affirmative, cela renforcerait l'idée de continuité qu'elle aurait voulu donner à une entreprise à laquelle elle aurait pris part, mais rien ne permet de le prouver : les livres de comptes ne portent pas trace de son écriture, pas plus que les livres de caisse. Cela dit, ces mêmes livres ne portent pas non plus trace de l'écriture de François Clicquot, ce qui tendrait à dire qu'un employé pouvait être chargé du travail de copiste. D'un autre côté, on imagine mal François Clicquot, passionné et "ardent" comme il l'était, ne pas au moins partager avec une femme intelligente et réfléchie ses enthousiasmes, ses espérances, ses soucis. Le contexte sert cette idée : son père retiré des affaires, Louis Bohne continuellement en voyage, François Clicquot n'avait pour confident ni frère, ni parent proche, ni associé. Si tel n'était pas le cas, Madame Clicquot n'aura eu que plus de mérite à poursuivre les activités de son mari.

Une femme jeune et intelligente, un mari qui avait su mettre sur ses rails un commerce prometteur, une famille vouée au travail, quelques moyens financiers et, mêlé à cet ensemble favorable, le déclic (décisif) qu'apporta Louis Bohne : voilà les fondements de ce qui allait devenir la Maison Veuve Clicquot Ponsardin. La recette ne serait pourtant pas tout à fait complète si l'on n'y ajoutait quelques onces de hardiesse de la part de Madame Clicquot, hardiesse dont elle aura largement l'occasion de faire preuve dans les années à venir.

De sa faculté d'imaginer, voire d'anticiper, les événements, de sa capacité à plier à sa volonté les hommes et les choses, de sa prudente obstination aux vents contraires, on ne peut que conclure à l'étonnante énergie de cette pauvre veuve. Toutes qualités que l'on retrouvera chez son arrière-petite-fille, la duchesse d'Uzès.

Il faut aussi remarquer que Madame Clicquot, le succès aidant, aurait pu considérer sa maison comme sa chose et succomber à quelque despotisme à court terme rassurant. En fait, son sens profond de la continuité de l'entreprise l'a conduite à neutraliser, sans les déposséder, ceux qui parmi ses proches pouvaient ne pas être à même de partager ses vues, et au contraire à favoriser, jusqu'à faire leur fortune, les talents extérieurs jugés dignes d'accomplir ses projets. A ce titre, l'on peut vraiment considérer Madame Clicquot comme une grande femme d'affaires.

La légende affirme que Monsieur et Madame Clicquot inspectaient leurs vignes dans une carriole attelée d'un cheval. Cette habitude qu'avait pris le couple prouve bien que Madame Clicquot s'intéressait aux affaires de son mari avant que celui-ci ne disparaisse. La légende ajoute généralement que "Madame Clicquot protégeait son teint de rose avec une petite ombrelle coudée..." Drian, l'auteur de ce dessin, n'a pas représenté l'ombrelle!

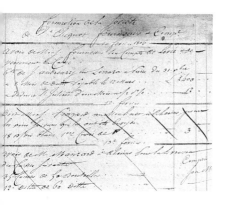

Premier livre de comptes de la nouvelle société Veuve Clicquot-Fourneaux & Cⁱᵉ.

Le chef tonnelier Jacob, qui avait été recruté par François Clicquot. Ses fonctions étaient très importantes, car il avait la charge de superviser tout le travail des vins en cave.

Quatre mois après le décès de son mari, Madame Veuve Clicquot décide de s'associer à un négociant rémois, Jérôme Alexandre Fourneaux, et tous deux fondent, le 10 février 1806, la maison "Veuve Clicquot-Fourneaux & Cⁱᵉ", pour une durée de quatre années. Cette société reprend l'actif de l'ancienne maison "Clicquot Fils", Madame Clicquot y apporte 80 000 francs, Monsieur Fourneaux la même somme, Philippe Clicquot y fait un apport de 30 000 francs en vins et Louis Bohne sera associé aux bénéfices.

A cette époque, les seuls moyens d'échanges en affaires étaient les courriers, qui mettaient bien souvent des semaines avant d'arriver à leur destinataire. A l'exception de Louis Bohne, qui rencontrait physiquement une bonne partie de ses clients, les contacts de ces derniers avec le siège social n'étaient qu'épistolaires. Lorsqu'une nouvelle société était créée, ou que de nouveaux associés arrivaient, ou encore qu'un changement notable s'opérait dans une maison, on avait l'habitude de le signaler aux correspondants par une circulaire où figurait un modèle original de la signature de chacune des personnes habilitées. Les réponses qui furent faites à la circulaire lancée par Madame Clicquot et Monsieur Fourneaux étaient pleines d'encouragement : "Nous vous prions de bien vouloir agréer favorablement les vœux que nous formons pour la continuation non interrompue des prospérités qui planèrent sans cesse sur vos opérations..."

On peut se demander pourquoi Madame Clicquot choisit de s'associer à Alexandre Fourneaux, négociant sur la place. Tout d'abord, il faut savoir que le nom de Fourneaux apparaît souvent dans les livres de comptes du temps des sociétés Clicquot-Muiron et Clicquot Fils pour des achats de vins. C'est donc une ancienne relation de la famille, apparemment appréciée pour la qualité de la marchandise qu'elle fournissait. Par ailleurs, si Madame Clicquot possé-

dait et les capitaux et l'énergie pour se lancer dans l'aventure, elle eut probablement l'intelligence de se rendre compte qu'elle ne possédait pas la science infuse, ni en matière de conduite des vignobles et d'élaboration des vins, ni en affaires sur le plan de leur gestion quotidienne. Il est utile de repréciser ici que Philippe Clicquot s'était retiré des affaires avant la mort de son fils et que, quels que soient les événements, il n'avait pas l'intention de s'y remettre, ainsi que le démontre très bien une lettre qu'il adresse à François Majeur, vieil ami et voyageur de la maison pour l'Italie : "Rien au monde ne peut et ne pourra affaiblir la douleur profonde que j'éprouve. Tous les instants me rappellent la perte que j'ai faite. Cet événement, l'âge, une incapacité réelle et croissante m'ont déterminé à la retraite, au repos et m'ont fait céder au besoin de mettre un intervalle entre la vie et la mort. La Maison Fourneaux, à laquelle Madame Clicquot vient de s'associer, tient le premier rang dans le commerce de notre ville. (...) Ce nouvel arrangement, sous tous les rapports, me plaît beaucoup et je vous prie de continuer vos bons offices, de doubler de zèle, s'il est possible, pour procurer de bonnes commissions à la Maison Veuve Clicquot-Fourneaux & Cⁱᵉ."

La répartition des tâches était apparemment la suivante : Alexandre Fourneaux s'occupait de la correspondance avec les voyageurs, et notamment Louis Bohne, du choix des armateurs pour les expéditions et supervisait le travail des caves, secondé par le chef tonnelier Jacob. Quant à Madame Clicquot, elle devait régner sur le personnel, s'occuper du travail des bureaux et veiller à la comptabilité. Ce faisant, elle devait aussi profiter de tout ce qui lui offrait la possibilité de se former et d'acquérir de l'expérience dans tous les domaines. Lorsqu'elle se séparera d'Alexandre Fourneaux en 1810, soit quatre ans plus tard seulement, elle sera en tout cas à même de prendre avec bon sens toutes les décisions opportunes, comme elle le prouvera.

Messieurs !

J'ai reçu votre lettre du 2. avril dernier, ainsi que la Circulaire imprimée et datée du 10. Février de l'année courante. J'ai pris bonne note des Signatures qui sont mises au bas de la dite Circulaire et auxquelles j'ajouterai foi dans les occasions.

J'ai reçu aussi la Caisse de 50. bouteilles de vin blanc mousseux de Champagne que vous m'avez envoyée, conformément à ma lettre précédente, avec la facture de 234. livres de france. La caisse est arrivée en très bon état, parce qu'elle a été bien soignée et bien emballée. J'en ai goûté le vin et je l'ai trouvé très bon. Aussitôt que je recevrai la lettre de voiture, je remettrai à Mess: Brünner, Bürky et Comp.rie de cette ville les livres 234. après en avoir déduit les frais du port.

Je vous remercie, Messieurs, du zèle que vous avez mis dans cet envoi, et j'ai l'honneur d'être avec une parfaite estime

Messieurs !

Berne le 14. Mai 1806.

Votre très humble et très obéissant Serviteur

Le Chev.r de Caarmaño

à Mess. V.e Clicquot Fourneaux et Comp.   à Rheims.

Le chevalier de Caarmaño, ambassadeur d'Espagne à Berne, en Suisse, était un fidèle client de la maison. Ayant reçu la circulaire annonçant la fondation de la société Veuve Clicquot-Fourneaux, il en accuse bonne réception. Il fait part de sa satisfaction sur la qualité des vins qu'il a reçus et sur le soin avec lequel les bouteilles étaient emballées. Sur ce dernier point, Madame Clicquot sera toujours particulièrement exigeante, estimant qu'un vin de bonne renommée se doit d'arriver dans de bonnes conditions chez ses clients.

Dotée de capitaux suffisants, d'une organisation solide, d'un personnel dévoué, jouissant d'une bonne réputation, la maison Veuve Clicquot-Fourneaux & Cie ira pourtant, dans les années à venir, de déconvenue en déconvenue. L'instabilité politique va s'accentuant : les victoires de Napoléon, si elles flattent pour quelques instants l'orgueil national, ne sont toujours que des bonds en avant vers plus de difficultés économiques. Les frontières ne se stabilisent que quelques mois, le temps de préparer de nouveaux conflits qui rendent presque impossible tout commerce suivi.

En ce mois de mars 1806, la rupture avec l'Angleterre est consommée. Forte d'une marine toute-puissante, celle-ci va petit à petit mettre en application sa tactique traditionnelle : le blocus des côtes européennes, qui s'étendra progressivement à chaque riposte de Napoléon pour finalement aboutir à l'asphyxie économique totale de certaines régions et à l'arrêt définitif de tout commerce maritime. C'est précisément à ce blocus que la Maison Veuve Clicquot-Fourneaux & Cie va se heurter, rencontrant une première embûche de taille : la perte quasi totale de 50 000 bouteilles, ce qui représentait alors plus du tiers du chiffre d'affaires de l'année. Un désastre!

Afin de devancer la concurrence, et forte des succès remportés l'année précédente en Russie et en Europe centrale, la maison avait décidé de contourner le blocus des ports français, déjà en application, en envoyant un chargement à Amsterdam. Utiliser ce port était sans conteste une idée neuve et devait permettre de constituer sur place un important stock de marchandises qui seraient ensuite expédiées selon les demandes vers la Russie ou tout autre marché du Nord. Une partie des vins était déjà chargée sur les bateaux lorsque subitement, le 22 mars, on apprit le blocus des ports prussiens par les Anglais. La situation étant inquiétante et risquant de durer, Alexandre Fourneaux se rendit à Amsterdam et

ne put prendre qu'une seule décision, celle de mettre les vins en dépôt dans un lieu sûr. Au mois d'août, Hartmann, un voyageur de la maison, fut dépêché sur place et constata que les vins avaient déjà souffert de cette longue attente. Il fit ouvrir les caisses, tria les bonnes bouteilles et espéra pouvoir faire une expédition vers Copenhague et, de là, trouver un moyen pour atteindre les ports prussiens. Peine perdue. Hartmann fut finalement contraint de liquider le stock restant à vil prix.

Cet épisode montre bien tous les aléas auxquels était confrontée une maison de champagne à cette époque troublée et apporte la preuve de la persévérance dont il fallait faire preuve. Insécurité et risques de casse des bouteilles dans les transports de Reims aux différents ports, crainte de voir les bateaux empêchés d'appareiller. Lorsqu'ils étaient finalement partis, on tremblait jusqu'avant de savoir si quelque corsaire ne s'était pas emparé du chargement en pleine mer. Incertitude encore d'arriver à vendre son stock sur place, à nouveau risques de casse dans les voitures menant les vins aux grandes villes. Quand bien même les chargements avaient enduré toutes ces péripéties, on n'était pas sûr de la qualité des vins à l'arrivée : les connaissances œnologiques étant extrêmement empiriques, une fois sur deux, les bouteilles avaient "graissé". Il faut ajouter à ce tableau déjà peu engageant l'incertitude d'arriver à se faire payer, certains acheteurs pouvant disparaître du jour au lendemain.

En dépit de tout cela, les voyageurs de la maison continuent leurs bons offices : Louis Bohne toujours vers la Prusse et la Russie, François Majeur en Italie, Henry Krüthofer en Silésie, Charles Bahnmayer en Scandinavie et Joseph Fohrman en Autriche. La foi et l'attachement de ces voyageurs à la maison sont émouvants. De l'une de ses étapes, Louis Bohne écrit, en avril 1806 : "Les divers bruits politiques surtout relative-

LE VOYAGE DE CHARLES BAHNMAYER EN NORVÈGE

Fin 1806, Charles Bahnmayer est en Norvège. Au nombre de ses multiples mésaventures dans ce pays, le voyage de Christiansund à Bergen fut le plus terrible : "J'avais l'intention de ne rester dans cette ville (Christiansund) que 4 à 6 jours, mais je me suis bien trompé là-dessus. Après y avoir séjourné quatorze jours, il se trouva deux bâtiments qui mettaient la voile pour Bergen et nous n'attendîmes que bon vent pour partir. Mais malheureusement cela dura encore quatorze jours, le vent était toujours contraire, et vous savez bien que quand on fait des voyages par mer qu'on ne peut ni fixer le jour du départ, ni celui de l'arrivée. Enfin, le vent nous fut favorable et nous partîmes de Christiansund le 12 octobre.

"A peine étions-nous en mer que le vent se changea de nouveau et nous fut contraire. Cela dura 4 jours. Le cinquième nous fîmes 4 lieues, ensuite cela allait mieux et le 22 octobre nous n'étions qu'à 12 miles au nord d'ici. Cette journée, ou plutôt la nuit du 22 au 23 octobre était la plus terrible de ma vie.

"... Il était 7 h 1/2 du soir, où il fait déjà très obscur, et où on ne pouvait plus distinguer les écueils qui se trouvent en grande quantité sur les côtes de la Norvège. Lorsque nous eûmes le malheur d'échouer sur le sable au milieu de la mer avec notre vaisseau. Tous les efforts que nous fîmes étaient sans effet. De vous décrire la consternation qui régnait sur notre vaisseau est impossible. Il suffit de vous dire que le capitaine cria plus de cent fois : "Nous sommes perdus, mon vaisseau ne peut pas porter la cargaison, l'eau n'étant pas assez haut, il peut crever d'un instant à l'autre." A peine étions-nous dans cette situation qu'une tempête terrible s'éleva et dura toute la nuit jusqu'à 10 heures

du matin. Nous avions une petite pièce de canon à bord que nous déchargeâmes plus de 10 fois, mais nous étions trop loin du continent pour qu'on ait pu nous entendre. Nous passâmes donc la nuit dans la cahute et nous nous attendîmes à tout moment d'être engloutis par les ondes. Nous étions jusqu'à 5 heures du matin dans cette triste situation. Dès 3 heures du matin, le vaisseau penchait d'un côté et toujours plus. Cela durait jusqu'à 5 heures 1/2 du matin, lorsque l'eau monta dans la cahute. Le capitaine était dans la désespérance. Le dernier moment était arrivé, lorsque notre brave capitaine ordonna à trois de ses matelots de nous sauver dans le petit bateau. Nous partîmes sous l'aide du Bon Dieu et après avoir été balancés et ballottés pendant une heure par les ondes, nous arrivâmes sur une petite île dans la mer qui avait à peine 50 pieds de long, autant de large. Nos matelots retournèrent à bord et ce n'était qu'alors que ce brave capitaine pensa à se sauver avec ce qui lui appartenait.

"A huit heures du matin, il commença à devenir jour et nous vîmes avec une joie qui n'est pas à exprimer, quatre petits bateaux avec à peu près 40 paysans venir à notre secours. La mer commença à devenir tranquille et ces paysans joints à nos matelots commencèrent à sauver la cargaison et on trouva alors que le bateau avait trois trous. A six heures du soir, nous nous fîmes conduire à la plus prochaine auberge. Il fallut rester cinq jours dans cet endroit. Le sixième jour, nous partîmes et nous fîmes six miles en mer. Mais le jour suivant nous avions une grande tempête qui dura trois jours. Il fallait donc de nouveau attendre l'issue de la tempête. Le quatrième jour, nous partîmes de nouveau et en deux jours nous avions le bonheur d'arriver ici."

Les conditions dans lesquelles se déroulaient certains voyages étaient pour le moins périlleuses, et ceux-ci tournaient parfois en véritables odyssées. En plus des dangers de la mer, les voyageurs devaient aussi affronter de longs périples dans des voitures sans aucun confort. Dans certaines contrées, c'est seulement à dos de cheval et même à dos d'âne que les petites villes et villages pouvaient être atteints. Il n'était pas rare de se faire dévaliser tous ses biens aux étapes. Cela arrivera plusieurs fois aux voyageurs de Madame Clicquot.

Toutes les lettres adressées par les voyageurs à Madame Clicquot ont été scrupuleusement classées et conservées dans les archives de la maison.

ment à la Prusse, m'ont fait rompre toutes mes affaires de famille à Mannheim pour ne suivre uniquement que vos intérêts. La circonstance est difficile mais ne perdons point courage..." Le moindre événement est prétexte à essayer de vendre des vins; de Hambourg, le 22 juin : "Je suis instruit de Russie que l'impératrice est enceinte! Quelle bénédiction pour nous si c'était d'un prince qu'elle pût heureusement accoucher! Des flots de vin de Champagne seraient bus dans cet immense pays..." Ou au contraire à constater qu'il ne s'en vend pas : "On fait circuler ici toutes sortes de nouvelles, la Suisse va être partagée entre la France, l'Italie, l'électeur de Bade et le roi de Bavière. Plus, que Napoléon Ier va devenir empereur et chef du Corps germanique, prérogative à laquelle l'Empereur d'Autriche va renoncer. Plus, que le Pape va abdiquer sa dignité en faveur d'un cardinal français et son pays être réuni au Royaume d'Italie. Plus, que l'Empire français va être déclaré empire d'Occident...(...) Tout cela ne fait point entrer nos vins dans les ports de Prusse..."

Pendant qu'à Iéna, Napoléon écrase l'armée prussienne et qu'il entre triomphalement à Berlin, Louis Bohne continue son chemin vers Saint-Pétersbourg, où il arrive le 18 octobre. Il se trouve dans un pays qui, un mois plus tard, sera en guerre contre la France. Il demande que ne lui soient écrites que des lettres très discrètes, indiquant avant tout qu'il n'y a ni Français ni ami des Français en Russie. Plus tard, ses lettres officielles donnent le change à la censure russe. Il s'y présente comme un marchand suisse désireux de se retirer à Hambourg pour y retrouver une femme et des enfants qui n'existent que dans son imagination.

Bon an mal an, en cette fin d'année 1806, la maison Veuve Clicquot-Fourneaux aura réussi à expédier près de 130 000 bouteilles, desquelles il convient de soustraire les 50 000 de la malheureuse aventure d'Amsterdam, principalement vers la Russie, les pays du Nord et l'Allemagne. Ce sont les quelques années à venir qui seront les plus difficiles.

Cette traite Veuve-Clicquot-Fourneaux & Cie est un des rares documents imprimés émanant de la maison. Madame Clicquot n'utilisait en effet ni papier à en-tête, ni tarif préétabli, toutes les indications étaient données à chaque fois à la main.

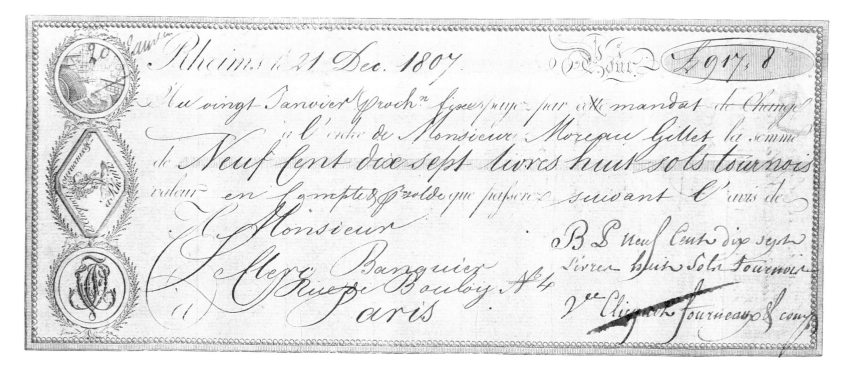

Le début de l'année 1807 voit Louis Bohne toujours bloqué à Saint-Pétersbourg et obligé d'employer des subterfuges de plus en plus compliqués pour ne pas passer pour un espion. Dans une de ses lettres, il ira même jusqu'à affirmer que les vins de Madame Clicquot envoyés l'année précédente en Russie n'étaient qu'une supercherie inventée "pour dérouter les concurrents". "On sait fort bien que c'était de mes caves à moi, Bohne, de Lubeck, que partait le vin." Puis, dans un courrier qu'il peut faire porter par un ami, il donne la marche à suivre pour que soit préservée sa sécurité : "Allez-y franc-jeu cette année; datez tout bonnement de votre vieille ville de Lubeck et avec ma raison de commerce habituelle et bien famée de L. Bohne. Croyez-moi, continuons à conserver votre maison de commerce simplement pour les productions des Indes, tandis que la mienne servira exclusivement pour notre commerce de vin. En Prusse et en Russie, on boira avec plaisir du café de Madame Veuve Clicquot-Fourneaux & Cie et du vin de L. Bohne, tandis qu'on trouverait le café de Bohne aussi mauvais que le vin de Madame Clicquot!"

Si quelques bateaux parviennent à forcer le blocus et à acheminer parfois de petits chargements, les expéditions pour les ports de la Baltique représenteront tout de même à la fin de l'année 12 000 bouteilles, et les ventes en Russie 8 000 bouteilles; un problème de taille se pose à Louis Bohne, celui du rapatriement des fonds vers la France. Il est en effet en possession de 16 000 livres, dont la maison de Reims aurait bien besoin. Afin de ne pas laisser dormir ce capital, Louis Bohne entreprend une spéculation sur du lin. Elle se soldera par un échec. Une désillusion de plus.

Quoique le commerce soit difficile et le contexte peu favorable, Louis Bohne s'attache à bien traiter une clientèle qui, il le sait, fait la force de la maison : "En ces pays, trop de vos meilleures maisons ont perdu leur fortune moins par la mauvaise foi des commettants que par l'idée que toute qualité de vin était bonne à y être expédiée, et par la légèreté de leurs voyageurs qui, contents de faire leur cour en envoyant beaucoup de commissions, songeaient plutôt à s'enquérir de la richesse que de l'honnêteté et de la moralité des acheteurs." La politique commerciale de Louis Bohne peut se résumer en deux grands axes, dont un réside ici : toujours fournir de la qualité à ses clients.

L'autre grande idée est de constamment occuper le terrain, même dans les périodes difficiles, pour mieux récolter quand les circonstances s'arrangent ensuite. Toujours bloqué en Russie, Louis Bohne conseille à Alexandre Fourneaux : "Il ne faut pas laisser la Pologne et l'Autriche incultes. Notre nom y prédomine, et on est habitué à y voir nos voyageurs. Mais la concurrence est forte et il serait désagréable de perdre une mine que j'exploitais autrefois avec succès et satisfaction." Il faut surtout ne jamais négliger aucun marché, si petit soit-il, du moment qu'il peut rapporter quelque chose à la maison : "Je crois plutôt qu'attachant peu de prix à des affaires bien plus pénibles en raison de ce qu'elles sont plus minutieuses que celles des expéditions maritimes, nous nous sommes petit à petit habitués à les considérer comme insignifiantes, nous les avons ou traitées en bagatelles ou abandonnées à elles-mêmes. Voici cependant une occasion pour les attiser et je vous invite à la raison. Vivifiez-les de toute manière, recherchez les affaires des particuliers, faites battre le buisson, chaque petite ville…" Sur les conseils de Louis Bohne, les voyageurs s'activent. Charles Bahnmayer placera près de 8 000 bouteilles entre la Suède et le Danemark, François Majeur près de 8 000 aussi en Italie, la Pologne fait également partie des importants pays consommateurs des vins de la maison en cette année 1807. Mais les chiffres de vente n'atteindront pourtant que la moitié de ceux de l'année précédente.

Cartes de visite utilisées par les voyageurs de la maison.

Les clients de Louis Bohne savaient déjà apprécier une belle mousse fine et méprisaient la mousse épaisse comme "des yeux de crapaud" : "Une chose terrible qui se lève et se couche avec moi : les yeux de crapauds! J'aime les grands yeux partout excepté dans le vin de champagne!"

En plus des soucis constants liés aux expéditions, chaque année apporte une catastrophe nouvelle. En effet, après la perte des 50 000 bouteilles à Amsterdam et la malheureuse spéculation sur les lins russes, ce sera en 1809 la pénible affaire dite du *Pactole*. Le nom était vrai, mais pas le résultat... Cette année-là, la mode est aux spéculations sur les vaisseaux, ainsi que l'explique une lettre envoyée de Bordeaux : "L'opération qui offre aujourd'hui aux capitalistes et au commerce les chances les plus brillantes, ce sont des expéditions en aventuriers pour nos colonies des Antilles. Depuis que les Américains ne les fréquentent plus, depuis que les rapports de ce gouvernement avec la France sont devenus incertains, nos colonies abandonnées à elles-mêmes éprouvent les plus grands besoins. Une cargaison de 30 à 40 000 francs, bien assortie, se triplerait à la vente, soit à la Guadeloupe, soit à la Martinique. Et comme les denrées coloniales y sont abondantes et à bas prix, on aurait également la certitude d'en tripler en France les retours..." C'est ainsi que la maison fut amenée à s'intéresser pour moitié à l'armement d'un de ces navires, le *Pactole*. Bien mal lui en prit : après avoir été longtemps sans nouvelles du bateau, on apprit en juin que le capitaine et tout son équipage avaient été arrêtés et jetés en prison en Espagne, le chargement pillé par les Espagnols.

Louis Bohne est toujours à Saint-Pétersbourg, où il passe l'année 1808 à se débattre pour essayer de faire arriver les vins et pour se faire payer par les clients récalcitrants. Il apprend qu'une quantité importante de vins a pu être expédiée à Lubeck. Mais la Russie venant de déclarer la guerre à la Suède, les Anglais sont désormais à même d'exercer leur blocus sur tous les ports de la Baltique. La seule solution est donc d'acheminer la marchandise par des voituriers jusqu'en Russie. Le coût prohibitif des transports et les vols qui ne manqueront pas de se produire en route sont des risques qui, de l'avis de Louis Bohne, valent la peine d'être pris, et pour une raison plutôt inattendue : "Il faut se retourner en tout sens, et puisque toutes les routes aquatiques nous sont absolument fermées, il faut bien en chercher sur terre ferme. Déjà le besoin, le manque de boissons et leur cherté a fait couvrir les routes de la Pologne de vins de Hongrie qui vont nous arriver. Ce qu'il en résultera de fâcheux pour notre commerce, c'est que le goût changera, et la vogue qu'aura le nouvel arrivant sera au détriment de la consommation de nos vins. Raison de plus pour s'occuper du transport de terre par lequel il en pourra suffisamment arriver pour qu'il s'établisse au moins une rivalité qui pourra devenir favorable aux nôtres si les années sont bonnes..."

On rencontrera toutes les difficultés possibles pour conduire les vins en Russie : à chaque frontière, il manquait toujours un certificat ou un papier quelconque. "J'ai déjà été dans beaucoup de passes difficiles dans ma vie, mais jamais dans une pareille. Dieu veuille nous aider à en sortir. Ne vous donnez pas trop de chagrin malgré cela, il ne change rien à la chose, et nous rend encore malade par-dessus le marché", écrit Louis Bohne le 18 mai 1808. Pour finir, les vins arriveront en Russie en juin, soit cinq mois après leur départ de Lubeck! Cette épreuve a quelque peu entamé le moral de Louis Bohne : "En résumé, comment expédier, si on ne le peut sans se ruiner? Comment prendre des ordres, si on ne peut expédier? Comment obtenir des commissions, si on ne prévoit pouvoir vendre, vu le bas cours et la diminution de la consommation? Daignez me guider dans ce dédale."

Le dédale en question n'aura pourtant pas été trop défavorable à la maison et, quoique les bénéfices nets sur les vins aient été amoindris du fait des coûts de transport, les expéditions ont doublé par rapport à l'année précédente, égalant celles de 1806.

PRIX COURANT DE VOITURE
De Jean-Charles MANGEOT, à Metz.

A	jours.	Prix.
Aix-la-Chapelle	12	6 « «
Amiens	20	8 10 à 9
Angers	24	11 « «
Angoulême	30	15 « «
Anvers	15	8 « «
Arles	28	11 10 à12
Avignon	28	12 « «
Auxerre	16	8 10 à 9
Aix en Provence	25	15 « «
Bar-sur-Ornin	5	3 « «
Berne	15	12 à 13
Beaucaire	26	11 à 12
Béfort	12	5 10 à 6
Beaune	14	5 10 à 6
Besançon	12	6 « «
Bruxelles	16	8 à 9
Bordeaux	40	15 à 16
Boulogne-sur-Mer	25	13 « «
Colmar	15	5 à 6
Châlon-sur-Marne	5	4 « «
Châlon-sur-Saône	15	5 à 6
Charleville	5	4 10 à 5
Carcassone	36	16 à 17
Dijon	15	5 « «
Deux-Ponts	5	3 « «
Dunkerque	20	13 10 «
Dusseldorff	20	10 à 11
Eupen	13	5 10 «
Epernay	7	4 à 4 10
Epinal	6	4 10 «
Francfort-sur-Mein	12	7 à 8
Gênes	35	38 « «
Genêve	24	11 à 12
Gray	10	6 à 7
Grenoble	24	12 à 13
Havre (le)	15	12 « «
Kayserslautern	8	6 « «
Limoges	27	16 « «
Langres	8	6 10 «
Ligny	5	4 « «
Lyon	20	8 à 9
Luxembourg	2	1 15 «

A	jours.	Prix.
Larochelle	30	15 « «
Lunéville	5	3 « «
Lille	20	10 « «
Liège	10	7 à 8
Marseille	25	12 à 14
Mayence	10	7 « «
Mannheim	12	8 à 9
Milan	38	32 « «
Montpellier	26	14 « «
Mulhouse	12	6 « «
Nancy	2	1 10 «
Namur	10	8 « «
Nantes	25	12 « «
Nuits	10	7 « «
Nismes	20	14 « «
Oppenheim	12	7 à 8
Orléans	16	9 « «
Paris	12	6 « «
Parme	40	40 « «
Perpignan	40	20 « «
Plaisance	40	40 « «
Rouen	20	9 à 10
Rheims	8	4 à4 10
Strasbourg	8	4 à4 10
Sarrebruck	4	2 « «
Sedan	6	5 « «
Saumur	18	10 « «
Stenay	6	4 « «
Toulouse	30	18 « «
Toul	6	1 15 «
Tours	18	10 « «
Turin	30	28 « «
Trêves	6	4 « «
Verdun	2	2 « «
Verviers	10	6 à 7

PAR EAU.

A	jours.	Prix.
Cologne	12	2 à2 5
Coblentz	12	1 10 à15
Dusseldorff	16	3 10 «
Francfort	24	3 « «
Mayence	22	2 « «
Trêves	12	1 « «

Les autres Villes à proportion.

Les baisses qui pourront s'offrir par des circonstances sont, comme de droit, au profit de MM. les Expéditeurs.

Je me charge également des recouvremens en France, en Allemagne et dans le Nord.

Le transport, ou roulage, des caisses de champagne était confié soit à des entreprises spécialisées, soit à des voituriers saisonniers qui complétaient ainsi leurs revenus. Le plus difficile à obtenir était le respect de délais déjà fort longs. De nombreuses maisons de transport, devenues florissantes pendant le blocus maritime, faisaient des offres de service, comme celle-ci, envoyée à Madame Clicquot. Bien souvent, la réalité n'avait rien à voir avec la théorie des prospectus. De même pour les prix, voués à toutes sortes d'aléas. Malgré tout, et dans la majorité des cas, une marchandise fragile et chère comme le champagne parvenait à bon port sans trop de casse ni de vols.

Si le commerce des vins de Champagne a connu depuis 1805 des phases difficiles, il entre, à partir de 1809, dans une période grandement critique. En effet, même si tous les voyageurs de la maison faisaient part dans leurs correspondances des écueils qu'ils rencontraient, dans l'ensemble, leur moral restait combatif. Dorénavant, de partout n'arrivent que des bruits de guerre, de ruines et de dévastation. Même la noblesse des pays les plus privilégiés n'a plus les moyens de s'offrir du champagne. Le blocus maritime, dont quelques maillons lâchaient de temps à autre, permettant à quelques navires de passer, devient de plus en plus total.

La maison va donc sensiblement modifier sa politique commerciale et ne plus essayer d'acheminer ses vins coûte que coûte : elle entre dans une période de demi-sommeil, qui durera jusqu'en 1814. Que l'on en juge par la chute vertigineuse de ses ventes : environ 40 000 bouteilles en 1809, 45 000 en 1810, 17 000 en 1811, 10 000 en 1812 et enfin 14 000 en 1813, soit dix fois moins qu'en 1806!

En juillet 1809, après une présence continue de près de trois ans, Louis Bohne se résigne à quitter la Russie, non sans avoir parlé avec Madame Clicquot d'une idée géniale qui se réalisera cinq ans plus tard : être les premiers à réexporter vers la Russie quand la paix générale serait revenue.

Lors de son voyage de retour, Louis Bohne ne peut cacher son désenchantement et, pour la première fois, on sent sa foi nettement ébranlée : "Ce n'est plus en vin, c'est en vain que je suis voyageur aujourd'hui; il n'y a pour ma peine que des nez et portes de bois, de mauvais compliments, et pour vous, point d'affaires. Partout où j'ai passé, j'ai trouvé les affaires absolument mortes, les villes et les routes battues et peuplées de voyageurs qui se lamentent. Je n'ai rien fait nulle part et sens qu'il faut que je quitte mon métier avant qu'il ne me quitte..."

C'est dans ce contexte que fut dissoute, en février 1810, la société entre Alexandre Fourneaux et Madame Clicquot. Sans doute déçu dans ses espoirs, Alexandre Fourneaux partit relancer une activité sous sa propre marque, marque qui deviendra en 1936 la maison Taittinger. Y eut-il désaccord entre les associés? Si tel fut le cas, il ne reste aucune trace qui permette de le vérifier. Il semblerait plutôt que chacun ait décidé de reprendre sa liberté. En juillet 1810, une circulaire annonce la cessation d'activité de la maison Veuve Clicquot-Fourneaux & Cie... et la création de la société Veuve Clicquot Ponsardin.

Si l'on a pu comprendre facilement les raisons qui avaient pu pousser Madame Clicquot à reprendre les affaires de feu son mari – l'envie de prolonger sa mémoire, un contexte politique et économique qui s'y prêtait, une affaire qui somme toute était déjà bien lancée –, en revanche, les arguments en faveur de la création de la société Veuve Clicquot Ponsardin sont beaucoup plus difficiles à trouver.

Madame Clicquot ne peut plus compter sur les conseils de son beau-père, trop âgé et retiré des affaires depuis trop longtemps. Elle n'a plus le soutien d'un associé pour partager les responsabilités de son commerce. Tous les pays habituellement consommateurs de champagne se replient sur eux-mêmes pour panser les blessures dues aux innombrables guerres. Madame Clicquot n'a plus non plus l'excuse de la méconnaissance des affaires : elle vient de vivre une expérience de quatre années qui fut pour le moins difficile.

Alors, il ne reste qu'une seule réponse possible. On dit souvent que c'est dans l'adversité que les caractères se révèlent. A cet instant, les adversaires de Madame Clicquot sont partout, tout est contre elle, et elle, plus peut-être qu'à aucun autre moment de sa carrière, va se révéler être une très grande dame.

Le 21 juillet 1810, Madame Clicquot commence un nouveau livre de comptabilité sous le nom Veuve Clicquot Ponsardin : elle y indique son stock de départ, soit 59 986 bouteilles de vin, 72 pièces de vins, 10 365 bouteilles vides et 124 500 bouchons. Elle y indique également que Philippe Clicquot, son beau-père, maintient le capital de 30 000 livres qu'il avait prêté lors de la création de la précédente société.

A l'exception de Louis Bohne, qui a pris un congé de quelques mois pour se marier, les voyageurs recommencent à sillonner les routes pour Madame Clicquot. Les nouvelles qui arrivent de partout ne sont pas meilleures que celles des années précédentes. Pour trouver des capitaux, Madame Clicquot ira jusqu'à confier à Monsieur Boldemann plusieurs de ses bijoux, qu'il pourrait "vendre avantageusement à de riches seigneurs d'Europe centrale".

Fin juillet 1811, Louis Bohne s'apprête à entreprendre un nouveau voyage. Il ne peut toujours pas se rendre en Russie, l'Europe centrale étant ruinée et n'offrant aucun débouché, il décide donc de partir pour l'Autriche. Madame Clicquot lui écrit : "Je mets mon entier espoir en vous, en votre zèle et en votre activité, bien persuadée que si vous ne pouvez pas réussir personne ne le pourra." Hélas, ses espérances sont vite déçues : "On ne se fait pas idée de la misère générale. Dans le Tyrol, ils m'ont assuré que je méritais d'être pendu pour oser leur offrir un article de luxe comme le mien après le mal que les Français avaient fait dans le pays." En octobre, Louis Bohne part pour la Hollande, et Madame Clicquot lui donne des conseils qui trahissent bien le besoin pressant de faire quelques affaires : "... Il faudra peut-être faire quelques sacrifices sur les prix pour obtenir des ordres, je vous invite en conséquence à ne point tenir strictement à ceux que je vous ai prescrits plutôt que de lâcher des commissions si vous ne pouvez pas faire autrement." Mais Louis Bohne ne décrochera pas plus d'affaires en Hollande qu'en Belgique, où il se rend au mois de novembre : "Je vois le marchand de vin, l'aubergiste, le particulier, même l'avocat dans les entractes de l'audience. Je propose, je persuade, je fais des bas prix. Enfin je presse. C'est comme si je ne faisais rien, heureux si on reste avec moi dans les bornes de la civilité commune."

Le premier document connu portant la signature de la nouvelle société "Veuve Clicquot Ponsardin", signature que Madame Clicquot utilisera désormais jusqu'à la fin de sa vie.

Assise à ce petit secrétaire qui lui a appartenu, Madame Clicquot dut écrire quelques-unes des nombreuses lettres envoyées à ses voyageurs dans toute l'Europe. De sa maison de Reims, elle partagea avec eux, par courrier interposé, les bouleversements, craintes, espoirs et déceptions suscités par les guerres de Napoléon. Peut-être est-ce aussi à ce petit secrétaire qu'elle s'assit pour répondre à Louis Bohne qui lui annonçait le premier formidable succès de ses vins en Russie.

Pendant ce temps, Monsieur Boldemann fait en Italie une tournée peu fructueuse : "Vous ne pouvez vous imaginer combien il me faut parler, flatter, mentir, pour persuader les gens de ce que l'on veut qu'ils croient", écrit-il de Trieste. Il envisage une expédition pour l'île de Malte, idée qui séduit Madame Clicquot et pour laquelle elle fera préparer 2 000 bouteilles. Après un long voyage et des péripéties de toutes sortes, Boldemann arrive à Malte en mai 1812, où il trouvera, comme partout ailleurs, "plus de marchandises que de preneurs".

Le bilan de l'année 1811 n'est pas brillant, 17 000 bouteilles vendues, et parfois sans bénéfice. Un événement va pourtant mettre du baume au cœur de Madame Clicquot : le passage... d'une comète. A cette comète, on attribue en effet la qualité exceptionnelle des vins issus de la vendange 1811, qualité qui avait fait défaut depuis plusieurs années. Avec ce "Vin de la Comète", Madame Clicquot relancera sa marque en Russie après 1814, et il sera l'un des éléments clés de sa fortune. Mais cela, elle ne le sait pas encore.

Pour l'heure, tout devient de plus en plus difficile. Dans les lettres qu'elle échange avec ses voyageurs, Madame Clicquot ne se lasse pas de les encourager. Mais chaque missive qui arrive à Reims décrit des situations pires que les précédentes. Un courrier de Monsieur Boldemann résume la désolation qui règne partout : "La Russie avilie; la Pologne appauvrie; la Prusse pourvue en abondance; l'Autriche fermée sévèrement. La Turquie, j'ai parcouru l'Albanie, je suis sûr que je perdrais cent fois plutôt la vie par un coup de couteau que de faire concevoir à un Turc qu'il soit fou, de ne point boire du vin de Champagne. L'Italie, nous en avons la malheureuse expérience. Le Tyrol? La Suisse? L'ancienne Hollande? Le Danemark? Les côtes de la Baltique? Je ne peux en vérité que vous réciter des pays ayant peur de vous faire des propositions positives."

Durant le début de cette année 1812, Louis Bohne parcourt la Flandre et le Nord de la France. Son souci constant sera de se renseigner sans cesse, partout où il le pourra, pour essayer de faire passer un bateau vers la Russie ou les ports de la Baltique. Madame Clicquot, de son côté, essaie de voir si quelque ruse ne peut être mise sur pied pour forcer les interdictions. Après plusieurs faux espoirs et fausses joies, il faut bien se rendre à l'évidence, ce qui pourrait être tenté est beaucoup trop risqué.

Tandis que Napoléon commence la campagne de Russie, en juin 1812, Madame Clicquot est contrainte de renoncer aux voyageurs attitrés et salariés. A l'exception de Louis Bohne, elle confie ses intérêts à des placiers prospectant pour d'autres marchandises et qui ne sont rétribués qu'à la commission. Réduisant les frais et les risques de tous côtés, la maison fait le dos rond en attendant des jours meilleurs. Ces jours meilleurs, Louis Bohne les pense proches lorsqu'il apprend la débâcle de la Grande Armée, mais les affrontements ne sont pas terminés et l'ensemble de l'Europe exerce sa rancœur contre Napoléon. Le congrès de Prague soulève des espoirs de paix vite déçus. L'Armée des Nations s'effrite. L'Empire achève de s'effondrer.

Durant ces années du Premier Empire, où tout se conjuguait pour anéantir le commerce, où aucune paix durable ne permettait d'échafauder les moindres plans, où les lois variaient au gré des humeurs de l'Empereur, il fallait un courage touchant à l'héroïsme pour surmonter les épreuves. Madame Clicquot aurait pu tout simplement fermer sa maison et attendre le retour d'une certaine stabilité, mais elle ne l'a pas fait. Elle aurait pu se laisser décourager mais, bien loin de cela, elle trouvait toujours les mots pour réconforter ses voyageurs. C'est dans cette partie de sa carrière que son caractère combatif se révèle le plus admirable, que son côté courageux prend toute sa dimension.

Durant ces années peu glorieuses, Madame Clicquot sera contrainte d'ouvrir un registre spécial où seront consignées les commandes restant en suspens. Difficilement arrachées par les voyageurs, ces commandes ne pourront être expédiées qu'au retour de la paix.

Le livre des expéditions où étaient soigneusement répertoriés tous les envois de champagne. Il y avait deux "campagnes", ou saisons, propices : le printemps et l'automne.

Modèle d'une des cartes de visite utilisées par Louis Bohne en Russie...

... et sa carte de sociétaire du casino de Francfort. Déjà l'utilité des relations publiques!

1814 est l'année charnière dans l'histoire de la maison Veuve Clicquot. C'est l'année du redémarrage grâce au grand succès remporté en Russie, avec une conséquence immédiate et sans pareille : le triomphe de la marque Clicquot.

Avant ces heures de gloire, Madame Clicquot doit subir l'invasion de Reims par les armées coalisées. Elle essaie de protéger ses biens : "Je suis occupée depuis deux jours à faire murer mes caves, mais je crains bien que cela ne m'empêche pas d'être volée ni pillée", écrit-elle. Dès le 4 février, des cosaques, des Prussiens, puis des Russes s'installent dans la ville. Le 5 mars, Reims est reprise, pour quelques jours seulement, par le général Corbineau. Le 13 mars, Napoléon, qui s'était juré de coucher à Reims, y pénétra en pleine nuit. C'est à cette occasion qu'il fut hébergé durant trois jours chez Jean-Baptiste Ponsardin, le frère de Madame Clicquot. Reims, abandonnée avec un détachement trop faible pour la protéger, est reprise une troisième fois par les Russes et les Prussiens pour une occupation qui durera jusqu'à l'arrivée de Louis XVIII, en mai. Durant toute l'occupation, Madame Clicquot fera preuve de beaucoup de sang-froid et, le 7 mai, elle écrit : "Grâces soient rendues au ciel. Je n'ai à regretter aucune perte quelconque, et je suis trop juste pour me plaindre de charges desquelles personne ne saurait être exempt. C'est ainsi que purifiés par une série de malheurs et de privations, nous sommes enfin redevenus dignes d'être gouvernés par notre ancienne Maison de France, avec laquelle la Paix et la Concorde vont retourner parmi nous."

Dès les premiers jours de la Restauration, Madame Clicquot et Monsieur Bohne décident de mettre à exécution le plan auquel tous deux avaient pensé depuis cinq ans : envoyer un bateau vers la Russie. Profitant du désarroi général causé par la fin des hostilités, ils opèrent dans le plus grand secret alors que les concurrents croient la chose encore impossible.

Dès le 17 avril, Monsieur Rondeaux, ami de la maison et armateur à Rouen, avertit Madame Clicquot qu'il peut être prêt à charger un bateau. Elle lui répond aussitôt : "... C'est avec plaisir que je vois l'empressement que vous avez mis à affréter un navire, étant bien de votre avis qu'une opération faite de primeur ne peut présenter qu'un résultat avantageux. Aussitôt que toutes les informations nécessaires et surtout celle à l'égard de l'admission de nos vins en Russie vous seront parvenues, veuillez m'en faire part par le premier courrier. Je pense comme vous qu'il n'y a plus de doute sur la conclusion de la paix générale et je n'hésiterai donc aucunement de vous acheminer de suite quelques milliers de bouteilles de vin s'il n'y avait pas un autre empêchement. Si contre toute attente, l'importation de nos vins en Russie restait provisoirement encore prohibée, l'opération ne pourrait pas moins avoir lieu en faisant aller mes vins à Königsberg ou Memel..."

Les préparatifs vont bon train et Madame Clicquot a une confiance que rien n'ébranle, pourtant, Dieu sait si elle a déjà été contrariée durant ces dernières années. "Mes ateliers sont en pleine activité et j'espère avoir d'ici 15 jours au plus tard 6 000 bouteilles de disponibles, formant 100 caisses de 60 bouteilles dont je compte composer mon envoi."

Madame Clicquot met également au courant de son audacieux projet Monsieur Boissonnet, fidèle agent à Saint-Pétersbourg : "Les heureux changements qui viennent de s'opérer ayant déjà fait cesser le blocus de la plupart de nos ports et donnant en conséquence l'espoir fondé du prompt rétablissement de la liberté de la navigation et d'une paix générale, je suis déterminée à profiter d'un des premiers bâtiments qui partiront de la France pour faire un envoi de 6 à 8 000 bouteilles de vins de Champagne blanc mousseux en destination d'un des ports de la Baltique..."

Louis Bohne décide d'accompagner le précieux chargement. C'est un vaisseau hollandais de 75 tonneaux, *Les Gebroders,* en route pour Könisgberg et chargé des 10 550 bouteilles de Madame Clicquot, qui appareille du Havre le 6 juin. Faisant escale à Elseneur le 25 juin, Louis Bohne écrit à Madame Clicquot : "La rade est pleine de bâtiments et nous ne pourrons être expédiés que demain, où, si le vent est bon, nous comptons remettre à la voile. Notre bâtiment est le premier qui, de longues années, passe dans le Nord, et du port de Rouen, chargé de vin de Champagne. Je ne puis absolument rien vous dire de la tenue de mon chargement, n'ayant pas l'occasion de le voir de près; mais ce qu'il y a de consolant, c'est que je n'ai pas remarqué la moindre casse, le temps m'a singulièrement favorisé, ayant fait froid presque toute la durée du voyage."

Entre-temps, Madame Clicquot apprend que la Russie s'est décidée à lever l'interdiction d'importation de vins en bouteilles : "Je suis impatiente d'apprendre quel parti vous aurez pris de faire aller de suite toute la pacotille à Saint-Pétersbourg ou d'y envoyer seulement une partie en remplissant les demandes que je vous ai transmises par une de mes précédentes et celles que vous aurez infailliblement trouvées à votre arrivée chez MM. Schwinck et Koch. Dans tous les cas j'écris par ce même courrier à M. Rondeaux à Rouen pour le prévenir que je pourrais bien être dans le cas de lui faire vers la fin du mois prochain un nouvel envoi à peu près semblable en nombre au dernier destiné à Saint-Pétersbourg et pour savoir s'il ne pourrait pas trouver un petit navire dont le capitaine voulût s'engager de ne prendre à bord d'autres vins que les miens."

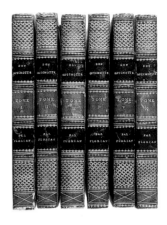

Edition de Don Quichotte *en six volumes que Madame Clicquot avait offerte à Louis Bohne pour sa traversée à bord du vaisseau* Les Gebroders.

Document attestant la prise en charge par le capitaine Cornelis, maître après Dieu du navire Les Gebroders, *du chargement de Madame Clicquot.*

LOUIS BOHNE À BORD DU LES GEBRODERS

Louis Bohne accompagna en personne le premier envoi massif de champagne fait vers la Russie. Il quitte Reims le 20 mai, passe par Paris et arrive à Rouen le 1er juin : "Mon logement à bord est au-dessous de toute critique, pas même un lit; donc j'ai prié Monsieur Rondeaux de me faire faire un méchant matelas et un oreiller avec de la laine dedans et de m'acheter mes provisions d'après une liste à lui remise, qu'il vous portera en compte; je me fais également rembourser par lui 24 francs pour 20 tablettes de bouillon achetées à Paris.

"Le 6 juin au soir, le vaisseau appareille pour Le Havre, il lui faut deux jours pour descendre la Seine. Louis Bohne le rejoint par la route à Quillebeuf : "Cette nuit à 11 heures, notre navire a démarré pour descendre la rivière et moi je vais le suivre demain matin en me rendant par terre à Quillebeuf. Rien n'a été négligé pour la plus prompte expédition et je dois à Monsieur Rondeaux de dire qu'il y a mis tout le zèle pos-

sible tout le temps de ma présence ici. Mais le grand malheur a été qu'aux Douanes personne ne connaît son métier, déshabitués qu'il sont des affaires en sus de ce, animées encore de cet esprit nicolaïque tracassier, hargneux, ne cherchant qu'à entraver et à faire des victimes, c'est une synagogue à baptiser.

"Vous verrez avec intérêt la quantité de pommes de terre et d'oignons qui figure sur la liste de mes provisions, ce qui me console, c'est que ce n'est pas la friandise qui a enflé le mémoire, mais bien le passage avec peine rabattu à 44 francs, et le matelas maudit; je n'ai voulu ni draps, ni couverture, mon manteau m'en servira, ce serait autant de plus en non valeur. (…) Pour le coup sérieusement, au plaisir de trouver de vos agréables nouvelles à Königsberg. Veuillez S.V.P. donner cours à l'incluse pour mon épouse et être persuadée des sentiments du plus parfait attachement de votre dévoué.

"Je suis désolée, lui répond Madame Clicquot, de vous savoir si mal colloqué à bord. Je désire seulement que Monsieur Rondeaux ait fait tout ce qui aura dépendu de lui pour arranger votre logement et surtout votre lit avec autant de soins que possible et que le trajet soit des plus courts et heureux afin que vous sortiez au plus tôt de votre état de pénitence.

"Je pense que vous vous trouvez à l'heure qu'il est sur l'élément perfide. Dieu veuille qu'il vous soit favorable! Certes, on ne peut être ni couché moins commodément, ni nourri plus frugalement et j'aurais vivement désiré que vous y fussiez mieux à votre aise."

Le 25 juin, le bateau fait escale à Elseneur, d'où Louis Bohne écrit à Madame Clicquot: "Cette nuit, à 2 heures, nous avons jeté l'ancre devant ce port, après un voyage où les ventes ont alterné de toute manière, le bâtiment ayant quitté le quai de Rouen le 7 du courant et étant entré en mer le 10 du courant. Rien ne nous est advenu de remarquable sinon que dans la Manche nous avons mis en passant de nuit un filet de pêcheurs anglais de 150 toises en lambeaux, pour laquelle gentillesse nous avons failli être houspillés des pilotes. Que dans le Cathegalt, nous avons été visités par une grosse frégate danoise qui tenait à la remorque une gaillote norvégienne de prise (donc ils ont déclaré la guerre à ce pays) et qu'elle nous a laissés filer après inspection de nos paniers. Finalement que des punaises comme des 10 centimes que nous avons à bord m'ont déjà bu la moitié de mon sang."

Louis Bohne arrive sans encombre à Königsberg le 3 juillet, où il apprend que les vins peuvent pénétrer en Russie: "Voici à quoi je me décide. Comme on m'a vu arriver et moi et mon vin avec beaucoup de plaisir ici, je vais me faire faire la cour pour en vendre une partie afin de couvrir tous frais ici et tâcher de vous faire un peu d'argent, puis, comme le fret d'ici à Saint-Pétersbourg est pour un morceau de pain, envoyer le reste à Boissonnet en lui facturant une partie pour son compte et l'autre pour le nôtre, et suivre le tout. En attendant, je fais circuler en public ici que la partie entière est vendue et destinée hors d'ici et que ce n'est qu'autant que j'obtiens de gros prix que peut-être je pourrais me décider à obliger quelqu'un.

"C'est avec une satisfaction indicible que j'ai examiné nos échantillons, l'eau de roche est infiniment moins claire qu'eux, le tout est parfaitement sec, ah! comme je vais faire le cruel et le prude." Madame Clicquot lui répond aussitôt: "Dieu soit loué! Vous êtes arrivé sain et sauf au lieu de votre destination. Vraiment, on était si accoutumés à voir tout mal tourner sous le règne nicolaïque que des avis tels que ceux que vous me donnez paraissent être des songes."

La "note de frais" de Louis Bohne pour les provisions qu'il embarqua en vue de la traversée.

Louis Bohne décide alors de vendre une partie des vins à Königsberg, pour être sûr de rembourser les frais du voyage : "Tous les becs sont déjà pointés pour le déguster, et s'il est trouvé aussi bon que beau, je vais me faire adorer." Il vole de succès en succès : "Toute la gent vinante d'ici est venue régulièrement à mon hôtel 3 ou 4 fois par jour pour me supplier d'être plus traitable, je leur ai tenu rigueur jusqu'à avant-hier où je fus prêt avec mon déchargement que je fais faire, moi présent pour reconnaître mon bien, par une chaleur comme à Sinamary. Je fis tout bien emmagasiner en lieu frais et je reconnais caisse par caisse pour voir si elles n'ont pas fui en route et je trouvai l'énorme casse d'une bouteille ! Enfin, j'ai fini par me laisser aller, je suis vraiment trop bon, à 5 1/2 couronnes de Prusse, tous frais, droits, etc. à la charge des acheteurs, ceux de déchargement et de transport exceptés."

La clientèle se bat pour acheter les vins de Madame Clicquot, aussi bien à Königsberg qu'à Saint-Pétersbourg où s'affaire Louis Boissonnet. Louis Bohne en obtient des prix qui dépassent toutes les espérances : "En vérité, j'ignore comment vous avez pu faire pour obtenir le prix exorbitant de 5 1/2 et je vous avoue que j'ai regardé deux fois avant d'en rester convaincue. Je sais fort bien que le bon champagne manquait et que vous n'aviez pas de concurrent ; mais il n'est pas moins vrai que je ne pouvais jamais m'attendre à un résultat aussi avantageux dû uniquement à votre talent et à votre zèle..."

Le 2 août, Louis Bohne annonce à Madame Clicquot que son chargement est liquidé : "Il faut que je donne à dîner la semaine prochaine à Messieurs Schwinck et Koch et que j'aille acheter mon champagne à la cave du coin. De peut-être 200 chargements qui sont arrivés ici avec denrées de toute espèce dans le courant de l'année, tout a donné de la perte, excepté le mien ; hors moi tout le monde pleure, même ceux qui m'achètent, parce que je leur fais sentir la loi du vainqueur."

Le 10 août, un autre bateau, le bien nommé *La Bonne Intention,* commandé par le capitaine Cléroult, quitte Rouen chargé de 12 780 bouteilles destinées à Saint-Pétersbourg. Chargement qui sera vendu dans les plus brefs délais.

"C'en est fait ! Je n'ai plus une bouteille de vin, tout est vendu..."

Outre quelques affaires personnelles qu'il emportait toujours avec lui, Louis Bohne était contraint de transporter ses propres matelas et couverture, certains relais de poste n'ayant qu'une étable pour héberger les voyageurs.

Au cours de l'un de ses voyages, Louis Bohne se fera voler ses affaires par deux fois dans son auberge de Saint-Pétersbourg : "Ce que je regrette le plus c'est ma pauvre béquille que j'avais depuis tant d'années, canne fidèle qui savait si bien parler au dos des postillons et qui avait fait le tour d'Europe avec moi."

Bien avant de rencontrer ses premiers succès en Russie, Madame Clicquot avait décidé de conserver l'ancre marine, emblème choisi par son mari. Elle ne savait certainement pas que les armes de la ville de Saint-Pétersbourg comportaient aussi une ancre marine qui lui porterait bonheur.

Mais dès l'automne survient la contrepartie immédiate de ce renversement de tendance : les caves de Madame Clicquot se vident dangereusement, à telle enseigne qu'elle fait part à Louis Bohne de ses soucis d'approvisionnement : "... Je tremble déjà d'avance d'une peur épouvantable que vous n'ayez encore pris beaucoup de commissions à Saint-Pétersbourg car voilà déjà près de 70 000 bouteilles y compris les 20 000 pour Monsieur Boissonnet qu'il faudra pour le Nord seulement sans compter l'Allemagne, la Pologne, la Galicie et l'Italie et serais presque tentée de vous prier de revoir tous vos commettants pour leur demander l'autorisation de ne leur envoyer que la moitié de leurs ordres..." Et Louis Bohne de se conforter dans son bonheur : "Je m'ennuyais de voir qu'on nous laissait tranquillement de l'argent sans nous porter envie. A la bonne heure donc voilà que cela commence, la célébrité en est une suite toute naturelle, c'est à elle que je vise pour vous, mieux envieux que piteux; pendant qu'ils clabauderont, nous nous garnirons le gousset, et quand nous aurons écrémé le pot, nous rirons dans un coin de les voir faire la grimace au petit lait qu'ils ne manqueront pas de s'arracher des mains les uns des autres. Vos racines sont bien fortes et profondes dans la confiance exclusive de la Russie..."

Louis Bohne s'apprête alors à quitter Saint-Pétersbourg : "Je vais partir pour Riga et ainsi de suite jusque chez moi, ne prenant que le temps nécessaire au repos, mais en me gardant bien de dire à qui que ce soit de quoi je fais le commerce de peur d'être affligé encore de quelque ordre!"

La fin d'année 1814 marque le début d'un commerce avec la Russie qui ira grandissant jusque dans les années 1870. Madame Clicquot, décédée en 1866, ne connaîtra pas le déclin d'un marché qu'elle avait gagné avec Monsieur Bohne à force d'intuition et de persévérance.

Il convient ici, non pas de dénoncer, mais de préciser la légende qui veut que Madame Clicquot ait dû sa renommée en Russie à l'occupation de Reims par les Russes en 1814. On dit qu'à la vue des officiers russes buvant sans vergogne du champagne pris dans ses caves, Madame Clicquot se contentait de dire : "Qu'on les laisse faire. Ils boivent, ils paieront." Il est tout à fait possible que ces officiers, de retour dans leur pays, aient contribué au succès d'une marque qu'ils avaient découverte en France, mais l'histoire de la maison montre que, bien avant 1814, la Russie avait déjà été parcourue et défrichée par Louis Bohne, sous l'impulsion de Madame Clicquot.

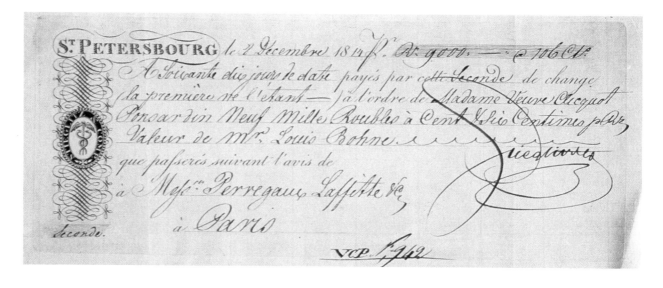

Traite rapatriant les premiers fonds en provenance de Russie.

Le port de Saint-Pétersbourg et l'amirauté, tels que Louis Bohne les connut.

Dès le début de 1815, Madame Clicquot s'apprête à renouveler ses expéditions vers Saint-Pétersbourg. Elle fait préparer des envois pour Rouen : "J'exige que les capitaines qui chargent mes vins n'en prennent pas d'autres à bord et qu'ils aillent en droiture à destination"(!), écrit-elle, très sûre d'elle-même, à Monsieur Rondeaux.

Quelle n'est pas sa surprise d'apprendre, au mois de mars, le retour de Napoléon en France. L'opinion générale craint naturellement une reprise des hostilités et notamment un nouveau blocus par les Anglais, ce qui fait écrire à Louis Bohne : "J'aime à croire qu'on ne reviendra pas de sitôt de sa frayeur en Champagne et que pour cette raison tout le monde balancera sans expédier. Quelle charmante occasion pour faire encore une fois ce que personne n'a fait..." Malgré les menaces, le *Saint-Johannès,* sous les ordres du capitaine Ryke, appareille le 30 mars avec 35 400 bouteilles dans ses cales. Et, une fois de plus, le champagne de Madame Clicquot sera le premier à atteindre la Russie. D'autres navires suivront, tandis que la concurrence commence elle aussi à envoyer des vins.

Cependant, la crise politique est menaçante, les angoisses se précisent : le 12 juin, un embargo général est décrété et, le 18, Napoléon s'écroule à Waterloo. Il abdique le 22 juin, et Louis XVIII rentre à Paris le 8 juillet. Le 10 juillet, Madame Clicquot écrit à Monsieur Rondeaux : "J'espère avec confiance que sous peu tout rentrera dans l'ordre. La tranquillité n'a pas été troublée un instant dans notre ville, grâce au ciel! et nous n'avons eu de passage que celui de quelques corps d'armée français. Reims n'est occupée que depuis avant-hier par des troupes hessoises qui observent la meilleure discipline. Notre faible garnison française a pu évacuer avec armes et bagages au terme de la capitulation. Je suis charmée d'apprendre que votre ville soit également restée calme au milieu de la crise terrible dans laquelle nous nous trouvions (...). L'entrée de notre bon Roi dans Paris qui a eu lieu avant-hier va mettre fin aux hostilités et opérer le prompt rétablissement de la paix et des communications." Le 5 septembre, Madame Clicquot rassure ses voyageurs : "Je n'ai pas plus souffert par les événements de la guerre cette année-ci que l'année dernière."

La toute première étiquette utilisée par la maison et probablement en Champagne. Madame Clicquot la fit graver pour le marché russe. Elle ne s'en servit que de manière très irrégulière. Il faudra attendre encore une bonne quarantaine d'années pour que l'usage de l'étiquette devienne une habitude.

L'hôtel Le Vergeur, dont Madame Clicquot fera sa résidence rémoise avant d'hériter en 1837 de la maison de ses parents, l'hôtel Ponsardin.

Le château de Boursault, ou "ancien château", acheté en 1819.

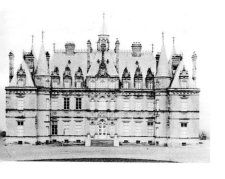

Le "grand château" de Boursault, construit en 1843.

Quant au domaine de Villers-en-Prayères, situé dans l'Aisne, il était échu à la duchesse d'Uzès, héritière de Madame Clicquot, et fut totalement détruit par les bombardements de la Première Guerre mondiale.

En octobre, Louis Bohne vient faire un séjour à Reims pour "voir les vendanges", qui seront très maigres, et fixer la politique commerciale à venir. Les temps difficiles sont définitivement passés et la maison est en route vers un développement irréversible.

Dans les années qui suivent, les Russes continuent à apprécier de plus de plus les vins de Madame Clicquot. L'évolution des chiffres d'expédition prend des allures vertigineuses : après avoir été de 43 000 bouteilles en 1816, elle monte à 60 000 bouteilles en 1817, 65 000 bouteilles en 1818, plus de 102 000 en 1819, 170 000 en 1820, pour atteindre le chiffre record de 280 000 bouteilles en 1821.

Qu'il s'agisse de vins mousseux ou de Bouzy rouge, les demandes sont de plus en plus nombreuses. Ainsi Monsieur Boissonnet qui ne cesse d'en réclamer : "... Un bâtiment de Rouen, chargé de vins, a déjà passé le Sund depuis quelques jours et se trouve probablement bien près de Cronstadt, s'il n'y est dans ce moment. Je désire que ce soit celui qui porte le premier envoi de votre champagne ; il trouvera un prompt débit car les bonnes qualités manquent totalement. A cette occasion, je ne puis m'empêcher de vous renouveler l'observation que j'ai eu l'honneur de vous faire verbalement, c'est qu'il serait convenable, ayant des vins de toute sûreté, de porter vos envois jusqu'à la concurrence de 30 000 bouteilles. Pendant quatre mois cet hiver, ma maison s'est trouvée dépourvue et il n'y a pas de doute qu'elle aurait pu vendre 8 à 10 000 bouteilles de plus." Louis Bohne, qui exulte, écrit à Madame Clicquot en 1820 : "L'heureux malheur qui vous persécute dans une trop grande quantité d'ordres à la fois."

Les expéditions de Madame Clicquot auraient certainement pu être encore plus importantes si elle n'avait été confrontée à des problèmes d'approvisionnements.

En effet, les vendanges de cette deuxième décennie du XIXe siècle sont dans l'ensemble plutôt faibles, et Madame Clicquot a du mal à se procurer des vins répondant à des critères de qualité suffisants. Elle est donc contrainte d'écrire à ses clients : "J'ai déjà tant d'engagements contractés et le choix qu'il y a à faire parmi les vins de 1819 est si conséquent, que je me vois forcée de réduire de moitié les ordres qui me viennent maintenant de mes anciens amis et de refuser entièrement ceux provenant de nouvelles connaissances", ou encore : "Je suis au regret de vous dire que j'ai tant d'ordres majeurs en note pour l'année prochaine, qu'il m'est de toute impossibilité de pouvoir en satisfaire de nouveaux ; les provisions de nos vins d'élite étant extrêmement restreintes..."

Il va sans dire que les bénéfices réalisés par Madame Clicquot durant cette période connaissent une progression fulgurante. Ils seront à l'origine des achats successifs de deux propriétés à la campagne : le château de Boursault (décembre 1819) et le domaine de Villers-en-Prayères (juillet 1822). Bien entendu, dans le choix de ces investissements, Louis de Chevigné ne sera pas un spectateur passif... Et, pour compléter son assise immobilière, Madame Clicquot acquit en 1822 l'hôtel Le Vergeur, superbe maison en plein centre de Reims.

C'est dans ce contexte de gloire et d'euphorie, heureusement récompensé des efforts qu'il déployait pour la maison depuis plus de vingt ans, que décède Louis Bohne à la suite d'un accident des plus stupides. Ayant eu à se rendre à Strasbourg en janvier 1821, il tombe dans le Rhin en traversant un pont. Repêché par un batelier, il mourra d'une apoplexie le 13 février 1821. Si Louis Bohne avait survécu, peut-être aurait-il empêché, ou tout au moins déconseillé à Madame Clicquot de réaliser les lourds investissements ultérieurs qui seront à deux doigts de lui coûter sa fortune.

LOUIS BOHNE

Louis Bohne a été engagé par François Clicquot en octobre 1801. Il est issu d'une famille de négociants, originaire de Mannheim. De son physique, on sait seulement qu'il était petit, gros et roux. Bien que de langue maternelle allemande, Louis Bohne a toujours écrit en français à Madame Clicquot. Son style est coloré, souvent plein d'humour, son vocabulaire riche, son sens de l'observation très aiguisé. Pendant vingt ans, Louis Bohne a été passionné par son métier, dévoué corps et âme à Madame Clicquot : il a risqué plusieurs fois sa vie au cours de ses voyages et a toujours été un soutien moral inestimable. Louis Bohne s'était marié en juillet 1810 : "...Je dois vous annoncer mon prochain mariage avec Mademoiselle Rheinwald, fille unique de feu Monsieur Rheinwald, conseiller du gouvernement ici." Bien des voyageurs s'orientaient vers une autre carrière dès qu'ils fondaient une famille, Louis Bohne au contraire redoubla d'activité. Même lorsqu'il s'accordait quelques semaines de repos, ses pensées et ses soucis étaient continuellement tournés vers Reims.

Les rapports entre Louis Bohne et Madame Clicquot étaient tout à la fois très respectueux et très directs – il n'hésita jamais à dire le fond de sa pensée –, très courtois mais aussi empreints de chaleur et d'amitié. Madame Clicquot a toujours su apprécier les qualités de Louis Bohne, et lui renouvelait sans cesse sa confiance : "Vous ne vous découragez pas, et en me reposant sur votre zèle et sur votre activité et votre intelligence peu communes, je me flatte toujours de voir sous peu cesser la nullité des affaires."

En 1812, Louis Bohne avait eu un fils, et il avait demandé à Madame Clicquot d'en être la marraine. En 1816, c'est Clémentine Clicquot qui sera la marraine de sa fille.

Alors qu'il avait affronté toutes sortes de dangers, traversé les guerres, parcouru les contrées les plus inhospitalières, Louis Bohne décéda en 1821 d'un accident qui peut paraître bien absurde. Sa veuve le raconte à Madame Clicquot : "Le 4 janvier, à 3 heures de l'après-midi, il traversait le Rhin sur le pont de bateaux à Strasbourg. Il était presque parvenu à l'extrémité de ce pont et il suivait à pied sa voiture, lorsque ayant entendu sur l'autre rive des ouvriers français qui riaient et plaisantaient en cassant la glace, il se retourna pour les regarder juste au moment où son cocher obligé d'éviter une autre voiture dut appuyer fortement de son côté. Le temps était au dégel et le pont était encore recouvert de glace, il glissa sur un pied et en cherchant à se rattraper avec l'autre, celui-ci heurta le parapet et il fut projeté à la renverse dans le Rhin à un endroit d'une profondeur de 10 mètres. Pendant 20 minutes il lutta d'une façon terrible contre les vagues, disparaissant par instants sous les glaçons puis revenant à la surface jusqu'à ce qu'il fût entièrement recouvert par un glaçon plus gros que les autres et menaçant de l'étouffer. Au bout de quelques minutes les bateliers accoururent et le trouvèrent coincé entre deux glaçons; ils le repêchèrent ainsi et ce n'est qu'après 1 heure et 1/2 de soins que les sauveteurs purent le rappeler à la vie." Rentré chez lui, sans suites apparentes de cette mésaventure, Louis Bohne s'éteignit le 12 janvier : "J'ouvris très doucement la porte pour ne pas le réveiller dans le cas où il dormirait. A ce moment il était déjà mort. C'était le grand calme. L'ange de la mort avait dû l'effleurer tout doucement car je ne lui avais jamais vu ce bon sourire; il avait les jambes croisées et il ne devait pas avoir fait le moindre mouvement. Qu'il repose en paix."

La rue du Temple porte ce nom à cause d'une église des Templiers qui s'y trouvait vers 1200. En 1311, l'église et les bâtiments de la Commanderie devinrent la possession de l'ordre de Saint-Jean de Jérusalem qui les conserva jusqu'à la Révolution. En 1791, on en fit une maison de détention pour dettes, et ensuite une prison pour les criminels. Vers 1800, les bâtiments furent vendus et presque entièrement démolis, et c'est dans ce qui en restait que Madame Clicquot installa ses bureaux, caves et celliers vers 1822.

La tour d'angle était surmontée d'une girouette : "Silhouette de Bacchus enfourchant un tonneau sous une branche de vigne, tenant une bouteille d'une main et un gobelet de l'autre."

LA SITUATION DE LA MAISON

Après le décès de son mari en 1805, Madame Clicquot continua d'occuper la maison où elle résidait depuis son mariage. Située rue de l'Hôpital (actuelle rue du Général-Baratier), cette maison, intimement imbriquée à des celliers, faisait partie d'un groupe de bâtiments qui faisait l'angle avec la rue de la Haute-Crouppe. Au-dessous de cet ensemble, se trouvaient deux étages de caves communiquant avec celles de l'hôtel Ponsardin. Madame Clicquot fit usage des caves de son père lorsque, ses affaires se développant, elle dut stocker de plus en plus de vins. C'est dans ce quartier que se concentraient toutes les activités liées au commerce de la laine et, accessoirement, des vins.

La maison resta installée ainsi jusque dans les années 1820. Il est probable que le déménagement vers "l'établissement du Temple" se situe en 1822, date à laquelle Madame Clicquot acquit l'hôtel Le Vergeur pour son habitation privée. Dans les locaux de la rue de l'Hôpital, ainsi libérés, on mit le siège de la banque Clicquot.

Malheureusement, on ne sait pas dans quelles conditions fut acheté l'ensemble formant la rue du Temple.

Outre le fait que les constructions étaient beaucoup plus modestes, le terrain était plus vaste qu'aujourd'hui : la rue Andrieux, qui longe à l'heure actuelle l'arrière du siège social, n'existait pas, et un grand jardin s'étendait jusqu'aux fortifications devenues par la suite le boulevard du Temple, puis le boulevard Lundy.

Un incendie entraîna la construction d'un nouveau cellier fin 1823. Puis, au fur et à mesure du développement de la maison, des bâtiments supplémentaires durent être édifiés : une maison adjacente aux bureaux pour le directeur, où habita Edouard Werlé avant l'hôtel du Marc, une tonnellerie, des étables... Vers 1860, Edouard Werlé fit également construire deux grands celliers pour les expéditions.

Le livre de Henry Vizetelly, A History of Champagne, *paru en 1882, donne une description assez précise de la topographie des lieux à cette époque : "Immédiatement en face (de l'hôtel du Marc) une porte cochère verte formant entrée de l'établissement Clicquot-Werlé et menant à une cour spacieuse bien tenue, avec quelques arbres, avec des étables de grande taille et des hangars à gauche, et sur la droite l'entrée des celliers. En face de nous l'édifice d'allure sans prétention où la firme a ses bureaux."*

Sous l'impulsion de l'un de ses employés, Georges Kessler, Madame Clicquot achète en octobre 1820 le domaine de Neuhoff, près de Heilbronn, en Allemagne. Georges Kessler, vraisemblablement recommandé par Louis Bohne, secondait Madame Clicquot depuis 1807. Successivement employé aux écritures, puis peu à peu responsable du travail des caves et enfin des achats de vin, Georges Kessler est associé à la maison en 1815. Puis, pour des motifs inconnus et dont aucune trace ne subsiste dans les archives, une circulaire datée du 1er décembre 1821 et signée de Madame Clicquot annonce à l'ensemble des correspondants de la maison "qu'en reconnaissance des services importants de M. Kessler, la propriété exclusive de son commerce lui sera dévolue au 20 juillet 1824... "(!), soit trois ans plus tard.

On peut se demander ce qui a poussé Madame Clicquot à prendre une telle décision. Estime-t-elle qu'elle a fait ses preuves et que sa maison de vin devenue florissante, celle-ci ne l'intéresse plus? Est-elle influencée par le comte de Chevigné, qui trouverait la vie de propriétaire terrien plus en rapport avec son milieu que celle de commerçant? La question demeure sans réponse. Tout comme demeure sans réponse la volte-face que fera Madame Clicquot quelques mois plus tard, le 1er juillet 1822, en annonçant dans une deuxième circulaire que, finalement, Georges Kessler ne reprend plus les affaires, mais conserve tout de même la signature par procuration.

Quels qu'aient pu être les sentiments de Madame Clicquot à l'égard de Georges Kessler, ce dernier conservait malgré tout auprès d'elle un grand crédit, puisqu'il réussit à la convaincre de se lancer dans des affaires de banque et de commissions de laine. On se souvient que Philippe Clicquot, le beau-père de Madame Clicquot, exerçait ce genre d'activités, la branche de vente des vins n'étant alors pour lui que secondaire.

Le 1er juin 1822, la banque "Vve Clicquot Ponsardin & Cie" ouvre ses portes. Le démarrage est assez brillant. Bon nombre de maisons rémoises font tout de suite confiance à la nouvelle enseigne, et les dépôts atteignent des sommes importantes. Fort de ces succès, Georges Kessler ourdit un projet d'envergure : il achète, au nom de la banque Clicquot, un terrain à Esslingen, dans le Wurtemberg, pour y construire une importante filature.

Pendant que l'on construit les bâtiments, l'ensemble des machines est commandé à Sedan, puis acheminé à grands frais vers Esslingen par les canaux du Rhin. Tout est prêt à la fin de 1823. Georges Kessler est de plus en plus souvent en Allemagne. Mais les débouchés pour les produits de la filature ne se révèlent pas aussi importants que prévu.

Le fait est que le découvert accordé par la banque Clicquot à l'affaire d'Esslingen pèse lourdement et qu'à partir de 1825, de nettes divergences de vues apparaissent entre Madame Clicquot et Georges Kessler. Qui plus est, ce dernier, quelques mois auparavant, a fait investir la banque dans une autre filature, à Pontfaverger, qui s'avère elle aussi déficitaire.

La rupture est consommée le 24 mai 1826 par un acte de résiliation qui établit le partage dans les termes suivants : tous les biens mais aussi toutes les créances et engagements pris en Allemagne sont à la charge de Georges Kessler, Madame Clicquot bénéficiant des mêmes conditions pour tous les biens, stocks, bâtiments achetés par la banque Clicquot à Reims. Lui revient également la filature française de Pontfaverger. Il va sans dire que cette aventure coûta excessivement cher à Madame Clicquot, plus de 700 000 francs, sans compter l'hypothèque de 100 000 francs que Madame Clicquot avait été obligée de faire à titre personnel sur le château de Boursault.

Après avoir séparé ses affaires de celles de Madame Clicquot, Georges Kessler partit s'installer définitivement à Esslingen où il fonda la maison Kessler, actuellement une des plus anciennes maisons de vins mousseux allemands.

Lettre adressée à "Madame Veuve Clicquot et compagnie, banquiers à Rheims".

Après avoir été stagiaire durant moins d'une année, Edouard Werlé fut nommé chef de cave par Madame Clicquot. Cette fonction impliquait beaucoup de déplacements dans les vignobles et des responsabilités importantes. La maison achetait à cette époque-là des raisins, mais aussi des vins, pour lesquels une part importante du travail de cave était faite chez les vendeurs sous le contrôle et avec l'aide d'un responsable délégué par Madame Clicquot. En période de vendanges, Edouard Werlé supervisait l'activité de vendangeoirs comme celui-ci. C'est ainsi qu'il acquit une bonne connaissance des vignobles et des vins, indispensable à son futur rôle de chef de maison.

Le seul à avoir poussé Madame Clicquot à "fermer le robinet" (sic) en ce qui concerne l'affaire d'Esslingen, c'est Edouard Werlé. Arrivé dans la maison Veuve Clicquot le 1ᵉʳ août 1821 pour y effectuer un stage et perfectionner son français, ses qualités et les circonstances vont lui permettre d'élargir rapidement ses responsabilités. Sa première promotion aura lieu en mars 1822, lorsque Antoine Müller, alors chef de cave depuis 1810, décide de quitter la maison pour se marier. Madame Clicquot pense tout naturellement à Edouard Werlé pour le remplacer. Le jeune homme, manifestement, avait su s'imposer. Dès la fin de 1822, Edouard Werlé part quelques jours à Paris, ville encore inconnue pour lui, et Madame Clicquot lui donne une signature provisoire pour régler quelques affaires à sa place.

Lors de la fondation de la banque Clicquot, Edouard Werlé n'a pas encore suffisamment d'influence pour donner son avis sur l'opportunité d'une telle création. Mais, à mesure que les problèmes engendrés par cette nouvelle activité apparaissent, il est de plus en plus souvent consulté par Madame Clicquot, au point de la décider à se séparer de l'affaire d'Esslingen. Dès 1826, Edouard Werlé devient fondé de pouvoir et associé aux bénéfices lors du départ de Georges Kessler. En avril 1831, il deviendra l'associé en titre de Madame Clicquot. Cette promotion méritée, Edouard Werlé l'a acquise par sa volonté farouche de sauver, le mot n'est pas trop fort, Madame Clicquot de la situation extrêmement dangereuse où l'avaient mise la banque Clicquot et les filatures dans lesquelles elle était fâcheusement engagée.

En effet, après le départ de Georges Kessler en mai 1826 et le partage d'Esslingen, la banque est mise en liquidation. Mais certaines opérations doivent se poursuivre, étant donné les engagements pris auprès des différents dépositaires et banquiers correspondants. Le découvert qui avait été accordé à Esslingen pose de nombreuses difficultés, accentuées par une crise générale qui se dessine dans le courant des années 1827 et 1828. Et, précisément, cette fin d'année 1828 se termine dans une situation alarmante : la célèbre banque Poupart de Neuflize, dans laquelle la banque Clicquot avait des avoirs importants, suspend ses paiements, et toutes les valeurs par elle avalisées reviennent protestées.

Au début de 1829, alors que Madame Clicquot est en Vendée chez la famille de son gendre, une rumeur commence à circuler, et de nombreux clients demandent le remboursement de leurs comptes ouverts en les livres de la banque Clicquot. Edouard Werlé partit rapidement pour Paris et, n'hésitant pas à mettre en caution sa fortune personnelle, emprunta au banquier Rougemont de Löwenberg de quoi parer aux remboursements les plus pressés. De retour à Reims le soir même, il paya à guichet ouvert tous les effets qui se présentèrent, ce qui rassura immédiatement l'ensemble des dépositaires. Tacticien de génie, Edouard Werlé venait de sauver Madame Clicquot. La réputation de celle-ci ainsi préservée, la liquidation put s'achever sans heurts mais laborieusement. Les dernières écritures la concernant vont jusqu'en juillet... 1840, et elles montrent une perte sèche de plus de 270 000 francs.

Madame Clicquot avait donné une procuration à Edouard Werlé pour s'occuper de la liquidation de la banque, mais aussi de toutes les démarches qu'il fallut faire à Paris pour récupérer au moins en partie les avoirs qu'elle avait chez Poupart de Neuflize. Dans la correspondance

qu'elle entretint presque quotidiennement avec Edouard Werlé sur cette triste affaire, on a très nettement l'impression que Madame Clicquot sent d'ores et déjà qu'elle a trouvé son successeur. Ne lui écrit-elle pas : "Je mets toute ma confiance en vous", ou encore : "J'ai répondu que j'accepterais volontiers cette garantie si vous la trouviez bonne et valable, que je m'en rapporterai entièrement à vous, parce que vous aviez toute ma confiance", et, plus tard : "Je vous remercie beaucoup des peines, de l'ennui et de l'embarras que vous cause cette maudite affaire, mais je n'ai confiance qu'en vous seul et vous seul pouvez en venir à bout."

Durant tout ce temps, et heureusement, les ventes de Clicquot en Russie se portent toujours à merveille, bien que souvent limitées par le manque d'approvisionnement en vin de qualité. Les moyennes annuelles d'expédition vers ce pays se situent autour des 150 000 bouteilles, avec des pointes à plus de 225 000, comme en 1821, ou à plus de 250 000, comme en 1825. La Pologne, l'Italie et l'Allemagne étaient des marchés beaucoup plus petits en volume, mais assurés d'une bonne stabilité.

En avril 1831, Edouard Werlé devient officiellement l'associé de Madame Clicquot, dans le cadre d'une nouvelle société où chacun apporte 100 000 francs. Madame Clicquot apporte en plus les locaux, celliers, caves et vins et reste propriétaire de tout ce qui constitue l'actif de la société. Quant à Edouard Werlé, il apporte son industrie, promet de donner tout son temps, tous ses soins aux affaires de la société et de contribuer, tant qu'il est en son pouvoir, à leur meilleure réussite.

Edouard Werlé n'était pas homme à faillir à ses promesses. En devenant l'associé de Madame Clicquot, il s'était engagé à ne pas ménager ses peines. Il tint largement ses engagements dans tous les domaines.

Intelligent, sérieux, travailleur, Edouard Werlé sut très vite acquérir la confiance de Madame Clicquot. Arrivé dans une période où la maison connut un fort développement, Madame Clicquot sut très vite discerner et très bien exploiter les grandes qualités d'organisateur et de gestionnaire de son nouveau collaborateur.

Les paniers "six cases" qui servaient à transporter les bouteilles dans les caves et les celliers.

Les bouteilles étaient expédiées en paniers ou en caisses, calées avec de la paille.

Les expéditions se faisaient par lots. A chaque lot était attribué un numéro et un signe de reconnaissance, lettre ou petit dessin.

Edouard Werlé fit d'abord toute une série de voyages dans les pays d'Europe centrale afin d'affermir une clientèle avec laquelle une correspondance avait été entretenue mais dont bien des commettants n'avaient pas été visités depuis la mort de Louis Bohne. C'est ainsi que les expéditions vers l'Allemagne, qui oscillaient entre 3 000 et 5 000 bouteilles par an, augmentèrent à partir de 1836, pour se fixer à un niveau moyen de 60 000 bouteilles par an. On assista au même phénomène avec la Pologne, pays vers lequel les importations étaient extrêmement irrégulières. Vers 1835, elles se stabiliseront pour friser, pendant une bonne quinzaine d'années, la moyenne de 15 000 bouteilles annuelles. L'Autriche, qui fut un bon client aux débuts de Louis Bohne, était tombée à moins de 1 000 bouteilles par an vers 1830. Le processus sera plus lent à s'amorcer, mais les expéditions y augmenteront régulièrement à partir de 1840-1845. Pour les ports de la Baltique, qui servaient tout à la fois de porte d'entrée vers la Russie mais aussi vers tous les pays environnants, les chiffres sont naturellement beaucoup plus fluctuants puisqu'ils sont le reflet de plusieurs marchés mais, là aussi, les ventes progressent.

Augmentation constante aussi en Russie, pour laquelle Madame Clicquot continue d'assumer l'ensemble de la correspondance. La moyenne de 100 000 bouteilles des années 1830 passe à plus de 150 000 bouteilles, avec des pointes à plus de 200 000. Toujours restée fidèle aux clients qui avaient fait sa fortune, il est des années où Madame Clicquot réservait plus des deux tiers de sa production au marché russe. Oubliées, les agaceries nicolaïques!

On avait craint, en 1821, un accroissement très important des droits de douane en Russie, voire une prohibition totale des vins de Champagne. Ce ne fut heureusement qu'une rumeur, mais cette alerte avait décidé Madame Clicquot à essayer de s'implanter dans d'autres marchés. C'est ainsi qu'elle fut amenée à s'intéresser à l'Angleterre, pays complètement délaissé depuis la malheureuse expérience faite par Louis Bohne en 1802. Les expéditions qui y furent réalisées entre 1825 et 1830, environ 12 000 bouteilles par an, avaient donné lieu à bien des espoirs. Mais la maison était très loin d'avoir dans ce pays l'expérience et les relations suffisantes : les ventes stagnèrent à environ 3 000 bouteilles jusqu'en 1849, doublèrent ce chiffre pendant cinq ans, rechutèrent à nouveau. Elles ne s'établirent de manière définitive qu'à partir de 1860.

En 1831, les ventes totales de la maison s'élèvent exactement à 144 182 bouteilles. Elles ont doublé en 1841, atteignant les 360 135 bouteilles. Désormais, la maison ne connaîtra plus jamais un chiffre d'expédition inférieur à 300 000 bouteilles.

Cet impressionnant développement contraignit Madame Clicquot et Edouard Werlé à s'adjoindre deux nouveaux associés. En août 1841, Monsieur de Sachs, un cousin d'Edouard Werlé, est chargé de la direction des caves. Monsieur Dejonge devient désormais responsable de la comptabilité et de toute la correspondance allemande. A l'occasion de cette nouvelle organisation, Edouard Werlé prend officiellement la tête de la maison.

Il a quarante ans, Madame Clicquot soixante-quatre ans. Elle s'intéresse encore de près à la marche générale de la maison mais, depuis une dizaine d'années déjà, passe de plus en plus de temps à Boursault avec sa famille d'où elle écrit en mai 1843 à sa cousine, Mademoiselle Gard-Letertre : "J'ai ici mes petits-enfants et arrière-petits-enfants. Tout ce petit monde ne me fait pas jeune et est un avertissement pour bientôt faire mon paquet, et dire bonsoir à la compagnie, ce que je ferai pourtant le plus tard possible..." Il lui reste encore vingt-trois ans à vivre.

Dans une lettre à Madame Clicquot, Louis Bohne précise : "Partout où vous trouverez avant le nom d'une commission (S.T.), cela indique un homme titré, et veut dire Salvo Titulo, comme il y en a qui y tiennent beaucoup, il ne faut pas manquer de placer ce "S.T." avant leurs noms, tant en chef des lettres que sur les adresses."

LES EXPÉDITIONS DE MADAME CLICQUOT

"La casse est à la charge des commettants ainsi que les frais de caisses, empaillage et conditionnement, qui se prennent en remboursement et se montent à 20 centimes environ par bouteille, un peu plus et un peu moins suivant la contenance de la caisse. Pour éviter de la casse, il est prudent d'expédier seulement en caisses pour l'étranger et non pas en paniers.

"Celles-ci se composent ordinairement de : 100, 80, 70, 60 et 50 bouteilles et au-dessus si la demande est plus forte. Les caisses de 100 bouteilles conviennent mieux pour les intérêts des commettants, le remboursement, le poids et les frais de commissionnaires en étant moindres que ceux de deux caisses de 50 bouteilles et autres proportions. Nos vins, ni en cercles, ni en bouteilles, ne s'expédient pendant les fortes gelées, ni dans les grandes chaleurs. Les expéditions du printemps commencent dans le courant du mois de février et continuent jusque dans le mois de mai. Celles de l'automne se font depuis la fin d'août jusqu'aux mois de novembre ou décembre si la saison le permet.

"Les vins dits "de la montagne" aux environs de Reims se vendent en pièces jauge Reims soit 240 bouteilles, et ceux de la Rivière comme Aÿ, Avize, Cramant, Le Mesnil, en pièces jauge Champagne, soit 215 bouteilles."

Madame Clicquot fait part de ses conditions de vente et des usages de la maison.

Le grand bureau ayant appartenu à Edouard Werlé. Ce meuble, un peu sévère, est toujours conservé chez Veuve Clicquot.

Il est pourtant un sujet dont Madame Clicquot s'occupe encore dans les moindre détails et qui devient, dans ces années du milieu du XIXe siècle, la préoccupation numéro un : les contrefaçons. En effet, bien des problèmes qui tenaient le premier plan au début de la carrière de Madame Clicquot se résolvent peu à peu. C'est le cas notamment de l'élaboration des vins qui, même si tout est encore loin d'être parfait, a déjà fait d'énormes progrès. La maison a de bons cadres, rigoureusement dirigés par Edouard Werlé. Les transports sont progressivement facilités par l'apparition des bateaux à vapeur puis des chemins de fer, etc.

Le fléau est particulièrement virulent sur le marché russe et a évidemment tendance à se développer dans tous les pays où la marque Clicquot devient connue. Dans le cadre de l'affaire Robin (voir pp. 136-137), Madame Clicquot avait obtenu, en 1825, que soit puni très sévèrement un contrefacteur agissant sur le sol français. Cette affaire servira d'exemple, mais toujours pour des contrefaçons dépendant de la justice française. A l'étranger, il est difficile, pour ne pas dire impossible, d'obtenir satisfaction. Le seul moyen de défense est de multiplier les avis dans la presse reproduisant *in extenso* les arrêts rendus en France. Ce faisant, Madame Clicquot espérait d'une part effrayer les éventuels futurs contrefacteurs, mais aussi alerter sa clientèle de l'existence de "fausses marques", ce qui est un exercice délicat.

Un autre moyen de lutte est aussi de mettre à contribution tous les correspondants de la maison, qu'ils soient amis, commettants, intermédiaires, transporteurs... pour débusquer les fraudeurs et remonter les filières. C'est ce que ne cesse de demander Madame Clicquot, comme dans cette lettre adressée à un dépositaire de Marseille : "... Ce que je voudrais empêcher par tous les moyens possibles, c'est que cette marque, dont j'ai tant à cœur de préserver la réputation

sans taches, puisse être confondue avec d'autres. En retour du profond dévouement dont je suis animée envers mes amis, je crois pouvoir leur demander qu'autant que cela dépendra d'eux, ils me mettent à même de remédier à des abus que condamne la loyauté commerciale et qui compromettent leurs intérêts comme les miens. Vous savez mieux que moi de quelle manière se font les transactions en vins de Champagne sur les marchés de la Russie méridionale, et si vous pouviez, avec promesse d'une discrétion absolue de ma part, m'indiquer quelques moyens d'atteindre les abus dont mes amis et moi nous avons tant droit de nous plaindre, je vous en aurais la plus vive reconnaissance..." De telles coopérations se révélèrent efficaces dans certains cas, mais elles restaient d'une efficacité limitée, compte tenu de l'étendue du problème.

Les événements politiques de l'époque, chute de Louis-Philippe, instauration provisoire de la République, agitation parlementaire, puis finalement avènement du Second Empire en 1852, n'eurent, à part quelques incertitudes passagères, pas d'incidences négatives sur la bonne marche de la maison. Les ventes franchirent le cap des 400 000 bouteilles en 1849, chiffre qui ne devait plus régresser, à l'exception toutefois des années 1855 et 1856.

En juillet 1850, Edouard Werlé fit un voyage en Russie. Plusieurs raisons motivèrent ce déplacement : la concurrence avec les autres maisons devenant de plus en plus farouche, Edouard Werlé désirait resserrer les liens avec ses correspondants. Avec ces derniers, il souhaitait également discuter de l'opportunité d'une baisse des prix, rendue possible par un récent abaissement des tarifs douaniers russes. Il voulait enfin se rendre compte par lui-même s'il y avait un moyen de lutter contre les contrefaçons. Sur ce dernier point, il obtint satisfaction en mettant fin aux agissements d'un certain Franz Clicquot, mais ce fut son seul succès dans ce domaine.

Les marques à bouchons utilisées par la maison; elles pouvaient varier selon les destinations, voire selon les habitudes des clients.

C'est en ce milieu du XIXe siècle que commencèrent à être utilisées régulièrement des étiquettes.

Le bouchage à la ficelle tel qu'il se pratiquait à l'époque de Madame Clicquot et qui subsista jusque dans les années 1870.

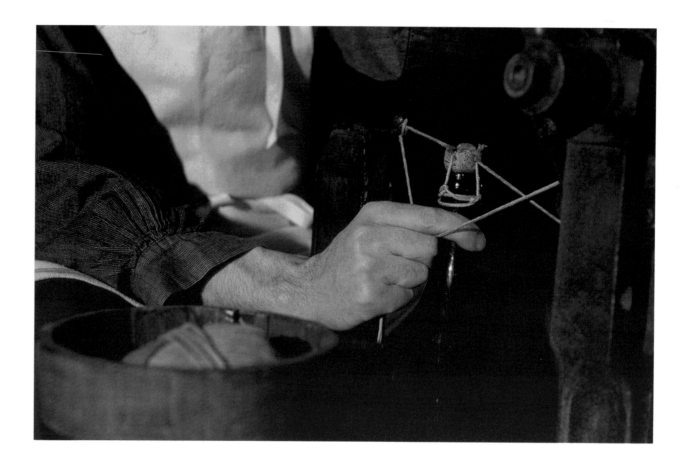

En revanche, Edouard Werlé tira de profitables enseignements sur la façon de vendre ses bouteilles. Dès son retour à Reims, les décisions qu'il prit seront l'ébauche de ce qui constituera les méthodes modernes de commercialisation. La maison avait fait des progrès dans bien des domaines, mais il en était un où peu de choses avaient changé : celui de l'organisation des différents marchés. A son époque, et selon ses disponibilités en vins, Madame Clicquot servait d'abord ses plus anciens clients, qu'ils fussent particuliers ou commettants, autrement dit revendeurs. Puis, pour la clientèle nouvelle, elle s'efforçait de se renseigner sur la solvabilité des intéressés, mais n'avait guère le souci de connaître les conditions de revente de ses vins, lorsque ceux-ci l'étaient.

Tous ses clients bénéficiaient des mêmes prix, fixés en général selon la valeur des vins après la vendange. Pour leur part, les revendeurs gagnaient leur vie en ajoutant au prix des bouteilles leurs propres frais, augmentés de leur commission. C'est-à-dire qu'en fonction de la gourmandise des uns ou des autres régnait une véritable anarchie. Il n'existait pas vraiment une valeur étalon de la marque. Conscient de ce désordre et des risques qu'il comportait, Edouard Werlé décida d'y remédier en donnant plus d'autorité aux dépositaires. Pour ce faire, il prit deux mesures radicales, voire révolutionnaires pour l'époque : d'une part, profitant de la récolte abondante de 1849, il pratiqua une réduction significative de ses tarifs : "Vous verrez que j'ai baissé de 25 centimes le prix de la bouteille et j'espère que les marchands de vins m'en sauront gré en favorisant ma marque, surtout s'ils considèrent que c'est bien de mon propre gré que j'ai pris cette résolution sans avoir aucune demande de réduction", écrit-il le 30 novembre à Monsieur Zenker de Moscou. Cette baisse, qui ne devait pas être répercutée sur la vente au détail, constituera un bénéfice très encourageant pour les revendeurs et entraînera ainsi une sensible régulation des prix. La deuxième mesure d'Edouard Werlé consistera à décider que tous les clients, hormis quelques très anciens, devraient désormais passer par les dépositaires sur place. En renforçant le rôle des intermédiaires, Edouard Werlé estimait en contrepartie être en droit de contrôler la diffusion de ses vins : "... Cette confiance dans mon nouveau système ne va pas jusqu'à fermer les yeux sur la manière d'agir de mes correspondants et je saurai toujours, en mettant des bornes

à l'importance de mes envois, empêcher que l'un ou l'autre d'entre eux, entraîné par un désir immodéré de l'emporter sur ses concurrents, ne fasse des ventes qui portent atteinte à la considération de ma marque", écrit-il le 20 septembre 1850. Deux mois plus tard, les conseils aux distributeurs sont très précis : "... Ce sont surtout les grandes villes qui doivent faire l'objet de votre attention afin que la consommation ne ralentisse pas. Considérez que si jamais la mode venait à changer et qu'ainsi une autre marque obtenait la préférence sur la mienne, cette nouvelle se répandrait vite à l'intérieur de l'empire. C'est ainsi que votre principale attention devra être dirigée sur les clubs de votre pays, les négociants les mieux connus et les restaurateurs les plus renommés susceptibles de faire estimer ma marque et vous êtes le mieux placé pour connaître les moyens à employer pour atteindre ces buts."

En dépit du temps et des guerres, et notamment des bombardements de 14-18 qui détruisirent la totalité des bâtiments du siège social, la maison a conservé de nombreuses archives.

L'ouillage, remise à niveau des fûts, de la cuvée 1927. A l'exception de l'éclairage du cellier à l'électricité, cette scène est identique aux travaux de cave que connut Madame Clicquot.

La seule et unique photo qui ait jamais été prise de Madame Clicquot.

De nos jours, la bonne marche d'une grande maison repose sur la maîtrise de sa distribution, ce qui postule le souci permanent de l'organisation de ses marchés et un suivi constant de la qualité. Ces notions d'évidence, Edouard Werlé, en son temps, les avait pressenties et s'était efforcé de les mettre progressivement en place. Mais à l'époque, il existait une différence de taille avec les principes modernes de diffusion : aucun agent n'avait l'exclusivité d'un pays, ni d'une province, ni même parfois d'une ville. L'installation d'agents exclusifs se fit très lentement et fut quelquefois délicate dans les pays où existaient avec la maison des relations à la fois très anciennes et très fortes. C'est Bertrand de Vogüé, puis son fils Alain de Vogüé qui achevèrent cette tâche dans les années 1970. Il aura donc fallu plus d'un siècle pour que s'organise la commercialisation de manière structurée. Depuis cette date, la maison n'a plus, dans tous les pays du monde où elle exporte, que des agents exclusifs.

Alors même que la maison poursuivait son développement et jetait les bases de son organisation commerciale, Madame Clicquot, le 29 juillet 1866, s'éteignait au château de Boursault, à l'âge de quatre-vingt-neuf ans. Devenue un mythe de son vivant, on la croyait immortelle…

Edouard Werlé fait part de la nouvelle à l'ensemble des amis de la maison : "… J'ai maintenant une bien triste mission à remplir en vous faisant part de la perte cruelle qui nous frappe en la personne de notre bien chère amie, Madame Clicquot. Cette Dame tant vénérée de vous, après avoir atteint la 89ᵉ année et après être restée plus de 60 ans à la tête de la maison qu'elle avait fondée, est arrivée le 29 juillet au terme de sa longue et honorable carrière. L'estime générale que la défunte s'était acquise l'accompagnera dans la tombe et les biens douloureuses souffrances ne s'éteindront jamais. Je suis certain que ces sentiments seront également partagés par tous nos amis et correspondants."

* L'expression "adresser un panier" est synonyme de refus. Il était de coutume en Allemagne, lorsque l'on voulait, d'une façon à la fois correcte et délicate, refuser une demande, de le faire en envoyant une corbeille fleurie.

Plusieurs journaux firent part de la nouvelle, dont *L'Illustration* : "Madame Clicquot est morte. Elle avait quatre-vingt-cinq ans (en réalité quatre-vingt-neuf). Voilà quinze jours, nous passions justement devant l'éminence, en avant d'Epernay, où se dresse le château absolument féodal mais parfaitement moderne que Mᵐᵉ Clicquot a fait bâtir pour M. de Chevigné son gendre. Deux millions de dépense, ni plus ni moins. On dit, au surplus, que ce château, admirable à l'extérieur, est à l'intérieur une merveille. On se croirait en plein Moyen Age. Les visiteurs s'étonnent de ne point se voir aux pieds des souliers à la poulaine. La chronique a déjà dit qu'elle était la bonté, et mieux que cela, la grandeur d'âme de cette bourgeoise, devenue une puissance de par la qualité de ses vins. Ah! ce champagne! combien de bonnets ont sauté, pendant que sautaient ses bouchons! Il a, depuis 1811, été le grand maître, le grand séducteur – peut-être le grand politique – de ce temps. Qui dira tout ce qu'il a dicté de bien ou de mal à nos contemporains, de résolutions soudaines, d'héroïsmes et de billevesées?"

La publication berlinoise, *Wespen,* lui a dédié ce bel hommage :

"Femme adorée qui jamais n'adressa
d'autres paniers *
Que ceux que nous-mêmes nous
aimions te demander
Tu viens, chère veuve, de quitter
cette terre
Pour goûter le repos que nous offre
un monde meilleur
Dors du sommeil le plus doux,
que la terre te soit légère
Jusqu'au jour de la fête céleste
de la résurrection
Lorsque le chœur des anges,
afin de se rafraîchir,
Lui aussi désirera qu'on lui verse
du Veuve Clicquot."

Ce portrait de Léon Cogniet a été peint entre 1851 et 1861. Il s'en dégage une autorité évidente. La couleur cramoisie du fauteuil n'est pas sans ajouter une certaine force et donne à ce tableau un côté un rien "officiel".
Victor Fiévet, un auteur champenois, a dit de Madame Clicquot : "Son fauteuil est un trône, et le soir de sa vie un règne." Il est vrai qu'à sa manière, elle fut une reine de l'Europe.

La grande cave aux foudres de la rue du Temple à la fin du siècle dernier. C'est ici qu'étaient conservés sous bois tous les vins de réserve.

Anticipant comme toujours les événements, Madame Clicquot avait soigneusement préparé sa succession, qui se déroula sans le moindre heurt. Par un accord qu'elle avait préalablement passé avec Edouard Werlé, celui-ci était déjà devenu propriétaire de la marque Veuve Clicquot. Pour leur part, les héritiers de Madame Clicquot reçurent tout ce qui constituait le reste de l'actif de la société, principalement tous les immeubles et toutes les vignes. Dès le mois d'août 1866, une nouvelle société est formée, "Werlé et Compagnie, successeurs de Veuve Clicquot Ponsardin", dans laquelle figurent Edouard Werlé et son fils Alfred en tant qu'associés-gérants, ainsi que le comte de Chevigné comme associé-commanditaire. Dès 1874, ce dernier quittera d'ailleurs la société au bénéfice de sa fille, la comtesse de Mortemart.

Alfred Werlé avait, dès l'âge de vingt ans, rejoint son père dans la gestion de la maison. Au début de sa carrière, il fit de nombreux voyages en Europe, principalement en Angleterre, marché auquel la maison s'intéressait depuis peu. C'est lui qui fut à l'origine des négociations avec Robert Selby pour la création d'une agence en Grande-Bretagne. A Robert Selby succéda, en 1873, la maison H. Parrot à Londres, qui est toujours l'importateur de Veuve Clicquot pour le marché britannique. A partir de 1862, quand Edouard Werlé fut élu député, et donc amené à passer plusieurs jours par semaine à Paris, son fils Alfred assumait déjà d'importantes responsabilités. Lorsque son père meurt, le 6 juin 1884, Alfred Werlé dirige de fait la maison. En juillet est constituée une société entre Alfred Werlé, la duchesse d'Uzès et Victor Bourge, fondé de pouvoir.

D'Alfred Werlé, on a souvent dit, à tort, que son passage à la tête de la maison n'avait été marqué d'aucune décision importante. En réalité, s'il maintint les expéditions sans les développer, il joua un rôle essentiel dans l'agrandissement du vignoble. Il racheta à la duchesse d'Uzès les vignes qu'elle avait héritées de Madame Clicquot et acquit, parfois contre la volonté de son père, de nombreuses et excellentes parcelles qui forment aujourd'hui le cœur du magnifique vignoble de la maison.

Le village de Verzenay. Au premier plan, le vendangeoir Clicquot. Au fond, le célèbre moulin.

A leur arrivée, les bouteilles vides étaient vérifiées une par une. Un ouvrier éprouvait leur résistance en les choquant d'un petit coup sec l'une contre l'autre. Elles étaient ensuite empilées dans un cellier en attendant d'être utilisées.

Avant le tirage, vers le mois d'avril, les rinceuses lavaient soigneusement chaque bouteille, puis les faisaient sécher dans de grands paniers. L'apparition des machines à rincer, dans la deuxième moitié du XIXe siècle, avait simplifié cette tâche, quoiqu'elle demandât encore beaucoup de manipulations. A l'époque de Madame Clicquot, les rinceuses utilisaient de la grenaille de plomb pour éliminer toutes les impuretés collées aux parois des bouteilles.

Entre l'arrivée d'une bouteille dans la maison et sa sortie pour expédition, elle passait, travail en cave et habillage compris, entre les mains d'une cinquantaine de personnes différentes.

En cette fin de XIXᵉ siècle, la moyenne d'expéditions se situait aux environs de 750 000 bouteilles par an mais, en même temps, la maison souffrit d'une sorte de crise de langueur. Certes, Alfred Werlé sut prendre des positions, notamment en matière de vignobles, qui s'avéreront par la suite extrêmement judicieuses, mais il faut reconnaître qu'il fut loin d'exploiter toutes les ressources que lui offrait son outil de travail. A sa décharge, lorsque son père lui confie la société, les stocks sont assez bas, un peu moins de deux années d'expéditions. Par ailleurs, les bâtiments d'exploitation et le matériel de cave ne sont pas flambant neufs. Edouard Werlé avait en effet souhaité constituer pour sa fille, Madame Magne, une fortune totalement indépendante de la maison de champagne, équivalente en valeur et en même temps anticipant les fortes chances commerciales de Veuve Clicquot. Pour ce faire, il avait été contraint de dégager des liquidités et donc de restreindre les investissements sur plusieurs années.

Alfred Werlé, quant à lui, avait une épouse de santé extrêmement délicate, qui par ailleurs supportait très mal le climat de la Champagne. Obligé donc de s'absenter plusieurs mois par an sur la Côte d'Azur, Alfred Werlé décida de s'associer à Victor Bourge, homme d'expérience sur lequel il pouvait compter.

Pendant que d'autres maisons de champagne, fondées plus tardivement, profitaient de cette période prospère, Alfred Werlé n'a pas choisi de développer sa marque, mais plutôt de la consolider en lui conservant sa précieuse réputation. Il sut aussi profiter des circonstances : à l'évidence, l'état peu encourageant des affaires et les perspectives modérément attrayantes de la maison à l'époque l'aidèrent lorsqu'il s'est agi pour lui de désintéresser la duchesse d'Uzès qui possédait une part importante dans l'actif de la maison.

La position de la duchesse était en effet très forte : elle avait hérité de la presque totalité des bâtiments, de plusieurs vendangeoirs et pressoirs et restait propriétaire de 40 hectares de vigne. En plusieurs étapes successives, la duchesse réalisa, au profit de la société, tous les biens liés à son exploitation. Pour Alfred Werlé, le prix de cette indépendance pesa lourdement sur sa trésorerie. Il faut aussi se rappeler que c'est Alfred Werlé qui constitua les bases du vignoble actuel en achetant des vignes en pleine période du phylloxéra. C'était, à sa façon, une décision audacieuse et porteuse d'avenir.

Panier "six cases" utilisé pour toutes les manipulations de bouteilles.

*L'installation dans les caves
pendant la guerre.*

LA GUERRE DE 14

"Il n'est pas besoin d'insister sur ce que fut pour Reims la période des hostilités. La malheureuse ville, soumise pendant quatre années à des bombardements ininterrompus et sans précédent, eut à souffrir plus que n'importe quelle autre cité. En 1918, notamment, elle fut la falaise avancée contre laquelle vint se briser la ruée de l'ennemi. Plus d'aux trois quarts encerclée, elle résista aux attaques les plus violentes. L'armistice n'y trouva que des ruines. La maison Veuve Clicquot Ponsardin eut particulièrement à souffrir des bombardements de l'ennemi. Un de ses principaux établissements, situé au centre de la ville, devint la proie de l'incendie et fut complètement détruit. Malgré la violence des bombardements, le travail n'y fut cependant pas interrompu. Le personnel non mobilisé, aussi vaillant que dévoué, tint à l'honneur de rester à son poste malgré le danger et ne quitta la ville que lors de l'évacuation forcée en mars 1918. (...) Une des dernières à quitter la ville de Reims, la maison fut une des premières à s'y réinstaller. Une partie du personnel, rentré aussitôt l'armistice, fut employée immédiatement aux travaux de déblaiement, particulièrement difficiles et importants. Le travail des vins reprit peu à peu; le 15 mai 1919, les bureaux de la maison Veuve Clicquot Ponsardin étaient définitivement réinstallés à Reims et l'expédition recommençait."

Extraits du Monde illustré
du 23 septembre 1920.

106

Même si Alfred Werlé s'est investi pour la maison d'une manière moins intense que ne l'avaient fait Madame Clicquot puis son propre père, du moins eut-il le mérite de maintenir le cap fixé par ses illustres prédécesseurs. L'Histoire est malheureusement riche d'affaires familiales totalement disparues à la troisième génération. Alfred Werlé transmit à ses trois filles, la marquise Ehrard de Nazelle, la princesse Pierre de Caraman-Chimay et la comtesse Bertrand de Mun, une société quelque peu assoupie mais parfaitement saine.

Alfred Werlé trouva en Bertrand de Mun, son troisième gendre, un collaborateur actif, qui sera pendant plus de cinquante ans un très grand patron. Entré dans la maison en juillet 1898, Bertrand de Mun subit d'abord un apprentissage complet, allant de la tonnellerie au travail des caves, expéditions, bureaux, puis fut associé en 1902. Dès ce moment, la maison Veuve Clicquot Ponsardin prit un essor qui ne fut ralenti que par la guerre de 1914.

Bertrand de Mun connut la pleine époque de la modernisation des techniques. Parallèlement, les progrès et les connaissances en matière d'œnologie furent considérables. Avec lui débuta l'ère des relations publiques : la clientèle se développant dans tous les pays du monde et se familiarisant de plus en plus avec le champagne, il fallut aller au-devant d'elle et aussi la recevoir à Reims. Toutes ces méthodes de travail, plus actives et plus modernes, Bertrand de Mun sut les appliquer tout à la fois efficacement et en douceur.

A la mort d'Alfred Werlé en 1907, la maison avait amorcé un redémarrage spectaculaire et, à la veille de la Première Guerre mondiale, sa situation était particulièrement brillante : elle avait reconquis sa place dans tous les marchés, les installations les plus indispensables avaient été faites et les expéditions n'avaient jamais

Bertrand de Mun, que rien, a priori, ne prédestinait à la profession du champagne, puisqu'il avait opté pour une carrière militaire. Il aimait à dire que son beau-père, Alfred Werlé, avait choisi de lui confier l'avenir de la maison suite à une épreuve décisive : une longue et fastidieuse dégustation d'assemblages à laquelle, bien que l'expérience fût pour lui totalement nouvelle, il avait su résister physiquement tout en jugeant correctement les vins.

connu un tel essor. Le chiffre impressionnant des 2 000 000 bouteilles avait été atteint en 1911. Malgré les circonstances tragiques qui suivirent, l'ennemi aux portes de Reims durant quatre ans, beaucoup de personnel mobilisé, les principaux bâtiments bombardés et détruits, il fut possible de continuer à expédier pendant la guerre. Environ 700 000 bouteilles par an prirent le chemin de l'Angleterre, des pays scandinaves, des Etats-Unis, du Canada ou encore de l'Amérique latine. A cette époque, Jean de Caraman-Chimay, un des neveux de Bertrand de Mun, entré dans la maison depuis 1909, y fut associé en novembre 1915.

Dessin de Chaval intitulé Moët et Chandon croisant la Veuve Clicquot. Ce dessin, dont l'original se trouve chez Veuve Clicquot, était en quelque sorte prémonitoire puisqu'il fut réalisé avant que la maison ne rejoigne, en 1987, le groupe LVMH.

Après la Première Guerre mondiale, il fallut reconstruire : tous les bâtiments de la rue du Temple, ainsi que toutes les installations des Crayères, avaient été détruits. On installa provisoirement les bureaux dans des locaux que la maison possédait rue de Mars, pendant que les travaux des vins se poursuivaient dans les caves restées intactes. Peu à peu furent reconstruits d'abord les celliers puis le siège social, qui ne fut inauguré qu'en 1936.

A partir de 1932, Bertrand de Mun fut rejoint par son gendre, Bertrand de Vogüé. Tous deux, dans la droite ligne de l'esprit qu'avait toujours entretenu Madame Clicquot, firent beaucoup pour le développement social de la maison. Bien avant que des lois ne les rendissent officiels, les employés bénéficièrent de nombreux avantages, congés, retraites, service de santé, terrain de sport et lieux de détente. Très en avance dans ce domaine, la maison resta globalement à l'écart des grèves qui agitèrent le mouvement ouvrier de 1936.

Au sortir de la Seconde Guerre mondiale, qui fut vécue sans trop de heurts, Hérard de Nazelle, fils d'Alfred et petit-fils d'Ehrard de Nazelle, vint rejoindre, en qualité de gérant, ses oncles Bertrand de Mun et Pierre de Caraman-Chimay et son cousin Bertrand de Vogüé. Alain de Vogüé arrivera dans la société en 1952.

Devant faire face à un développement de plus en plus important, la décision fut prise, en décembre 1963, en vue de l'introduction des titres en bourse, de transformer la société en société anonyme. Bertrand de Vogüé en fut nommé le président-directeur général, poste auquel son fils, Alain de Vogüé, lui succédera en 1972.

Depuis 1987, la maison a rejoint le groupe LVMH, Moët-Hennessy-Louis-Vuitton, et elle est présidée depuis cette date par Joseph Henriot. Cette concentration d'entreprises de pro-

Dessin de Serre paru dans la presse en 1981, lorsque Veuve Clicquot racheta la maison de parfums Givenchy.

duits de luxe, répondant chacune à une tradition très forte, à un savoir-faire très ancien, à des exigences de qualité extrêmes, conserve cependant à chaque société son entière autonomie et sa personnalité. L'appartenance à un groupe, puissant au niveau mondial et où règne pour chaque individualité la même philosophie, crée une ambiance de sécurité dans laquelle chaque maison peut mener pleinement et sereinement son développement.

Toutefois, lorsque l'on a une attitude rigoriste comme celle de Veuve Clicquot, l'expansion ne peut être que lente et limitée. La Champagne, délimitée par la loi, n'offre que des possibilités restreintes. C'est par ailleurs un monde de tradition dans lequel la création, dimension essentielle d'une maison de prestige, est assez bridée. La tentation serait grande d'utiliser la marque pour valoriser d'autres productions, même assez éloignées du métier d'origine de la maison. A cette tentation, Joseph Henriot ne veut céder à aucun prix. Aussi longtemps que Veuve Clicquot pourra continuer à exercer son métier en Champagne, la marque ou ses dérivés – Veuve... ou Clicquot... ou Ponsardin – ne seront pas utilisés pour vendre d'autres vins, mousseux ou tranquilles.

C'est la raison pour laquelle, après plusieurs années d'études, d'enquêtes et de réflexion, il est apparu un moyen de participer à une aventure vraiment nouvelle. Un moyen où les compétences du personnel de la maison, aussi bien en matière de connaissances œnologiques qu'en matière commerciale, pourraient s'exprimer totalement. Ce moyen, Veuve Clicquot est allé le chercher aux antipodes en investissant en avril 1990 dans les vignobles de Cape Mentelle, en Australie, et de Cloudy Bay, en Nouvelle-Zélande. Bien que très récents, ces vignobles font partie des quelques rares régions viticoles du monde qui réunissent tous les éléments de l'excellence. Ainsi, la voie est tracée.

LES VIGNOBLES DE CAPE MENTELLE ET DE CLOUDY BAY

L'Australie et la Nouvelle-Zélande sont deux pays très neufs en matière d'élaboration de vins fins. Si elle produit du vin depuis plus de deux cents ans, l'Australie n'eut très longtemps pour but principal, sans aucune recherche de qualité, que de fournir des quantités importantes destinées à la Grande-Bretagne, aux pays du Commonwealth, ainsi qu'au marché domestique. Cette tendance n'a commencé à s'inverser que dans les années 1960. Quant à la Nouvelle-Zélande, son accession à la viticulture ne remonte qu'à une trentaine d'années. L'implantation du vignoble de Cape Mentelle, dans la province de Margaret River, s'est faite dans un esprit pionnier que n'aurait pas renié Madame Clicquot. Tout a débuté en 1965, sur la base d'un rapport déposé par John Gladstones, agronome attaché au gouvernement australien. Etudiant avec précision la climatologie de la région, John Gladstones en conclut qu'elle était particulièrement favorable à la culture de la vigne, apte à recevoir des cépages nobles; la plantation du vignoble de Cape Mentelle débuta en 1970. Une quarantaine d'hectares se partagent aujourd'hui entre le cabernet-sauvignon pour la majorité, mais aussi un peu de syrah et de zinfandel pour les vins rouges, et le sémillon et le sauvignon pour les vins blancs.

Le vignoble de Cloudy Bay, en Nouvelle-Zélande, fut quant à lui implanté en 1985, également sur la base d'études liées à la climatologie. Le climat de la région de Marlborough ressemble à celui de la Champagne. En choisissant cette région, David Hohnen, le directeur général de Cape Mentelle, voulut jouer la carte de la qualité. Ses vins produits en Australie jouissaient déjà d'une excellente réputation, et il voulut conforter son acquis et compléter la gamme déjà existante de vins blancs de haut niveau. Une quarantaine d'hectares complantés de sauvignon blanc et de chardonnay assurent la majeure partie des approvisionnements, souvent complétés par des achats auprès de producteurs travaillant en collaboration avec le chef de culture de Cloudy Bay.

Ces vignobles étant de constitution récente, les procédés de vinification n'ont à souffrir d'aucune idée préconçue. Un matériel ultramoderne est utilisé pour les phases de la vinification qui le nécessitent. En revanche, l'élevage se fait en fûts de chêne. Le souci constant est de développer au maximum la personnalité de ces vins du bout du monde afin d'en faire une création originale qui n'aura pour points de comparaison que ses propres vins, issus de millésimes différents.

Le nom de Cape Mentelle doit son origine à deux Français du XVIIIe siècle, les frères Mentelle, dont l'un était géographe et l'autre cartographe. La région de Margaret River se trouve en Australie-Occidentale, à 300 kilomètres au sud de la capitale, Perth.

C'est le capitaine James Cook qui, en 1770, lors de son premier voyage, baptisa l'endroit Cloudy Bay. A la suite de violentes pluies, la transparence des eaux de la baie avait été altérée, troublée (sens figuré de "cloudy"). Cloudy Bay se trouve dans la province de Marlborough, la plus importante région productrice de vin de l'île du Sud, près de la ville de Blenheim.

CHAPITRE 4 : LE VIGNOBLE ET LES CAVES

Poursuivant son désengagement de la société, la duchesse d'Uzès, seule héritière de Madame Clicquot, céda son vignoble à Alfred Werlé. Cette cession se fit en plusieurs étapes : d'abord louées, les vignes furent peu à peu acquises, ainsi que les bâtiments qui s'y rattachaient. Ce patrimoine représentait une quarantaine d'hectares : une quinzaine à Bouzy, une douzaine à Verzenay, une surface identique à Verzy, et le reste, 2 hectares, disséminé dans plusieurs villages. La duchesse n'ayant pas fait d'acquisitions, ce vignoble avait été constitué progressivement par Madame Clicquot et ses prédécesseurs.

Le vendangeoir de Verzenay en pleine activité. C'est dans ce cru que Philippe Clicquot, le beau-père de Madame Clicquot, possédait des vignes.

Le point de départ fut les quelques vignes de Philippe Clicquot, dont on sait qu'elles se situaient dans les environs de Verzenay, village dans lequel séjournèrent plusieurs fois Louis de Chevigné et son épouse "pour y surveiller les vendanges de Madame Clicquot"... Le deuxième noyau est formé par le "bien de Bouzy", que François Clicquot hérita de sa grand-mère Muiron en août 1804. Il s'agissait d'une dizaine d'arpents, soit un peu moins de 5 hectares. Ces deux vignobles furent agrandis par la suite (1820 et 1822) par des achats faits par Madame Clicquot pour son cher gendre, Louis de Chevigné.

La vendange et le bordon, troupe de vendangeurs, dans les vignobles de Bouzy.

Les Pinot noir et Pinot Meunier, raisins noirs, et le Chardonnay, raisin blanc, sont les seuls autorisés pour l'élaboration du champagne. Madame Clicquot a connu sensiblement les mêmes cépages. Mais, à son époque, les méthodes de multiplication utilisées pouvaient localement donner naissance, à partir d'une même espèce, à des variétés dont les caractéristiques n'étaient pas toutes identiques.

Ensuite, à partir de ce cœur de vignoble, Madame Clicquot, avec une patience de collectionneuse, sut saisir toutes les occasions intéressantes. Elle fut ainsi amenée à posséder une quarantaine d'hectares de vignes de grande qualité, toujours situées autour de Bouzy et de Verzenay et, un peu plus tard, de Verzy – crus aujourd'hui classés à 100 %. Une telle surface était déjà importante pour l'époque, et il ne

semble pas avoir été dans l'esprit de Madame Clicquot de l'étendre davantage. Exploiter un vignoble plus grand aurait nécessité toute une infrastructure coûteuse et lourde. Cela étant, l'usage, jusqu'aux années 1860-1870, était d'acheter en priorité soit des vins déjà faits, soit des raisins dont le pressurage et la première fermentation étaient assurés par et chez le vigneron lui-même.

Edouard Werlé, qui a laissé une forte empreinte dans la maison, remarquable dans les domaines de la gestion et du commerce, péchera en matière de vignobles par excès de prudence. Il ne voyait pas l'utilité pour la maison de posséder ses propres vignes. Il lui semblait beaucoup plus commode et plus sûr d'acheter des vins et des raisins auprès "des vignerons dont c'est le métier". Argument imparable à une époque où dominait le principe quasi absolu de répartition des tâches entre un vignoble, qui élevait, voire commençait les vinifications, et un négoce qui commercialisait. En réalité, la concurrence entre les grandes maisons était déjà forte lors des achats en vins et en raisins de qualité. Par ailleurs, la résonance toujours grandissante du vin de Champagne eut pour effet, dès 1850, d'augmenter la valeur des terres à vignes situées dans les meilleurs crus.

Mais l'homme, pourtant pragmatique, manqua l'occasion d'investir dans le vignoble. En réalité, l'attitude d'Edouard Werlé peut s'expliquer par son sentiment à l'égard des vignerons auprès desquels il se fournissait. Bon et généreux envers ceux dont la condition n'était pas toujours facile, Edouard Werlé s'était attaché, par ses œuvres sociales, la fidélité de familles entières. A telle enseigne que, dans les vignobles, on ne livrait pas ses raisins à la "maison Clicquot", mais à "Monsieur Werlé". L'habitude de citer "Werlé" au lieu de "Clicquot" a longtemps subsisté dans certains villages et perdure encore de nos jours chez les vignerons les plus anciens. Cela étant, l'empirisme organisateur d'Edouard Werlé dans ce domaine n'allait pas dans le sens de l'Histoire. Fort heureusement, son fils Alfred s'efforcera par la suite de rectifier la trajectoire.

Le vendangeoir de Bouzy à l'époque d'Edouard Werlé. Sur la gauche, une rangée de pressoirs et en face les cuves de débourbage. De grands paniers mannequins en osier sont utilisés pour le transport des raisins.

LES TRAVAUX DANS LES VIGNES

Pour remplir les espaces vides dans une vigne déjà plantée, le vigneron pratiquait le provignage, ou rajeunissement continuel de la vigne. Cette opération consistait à mettre en terre, depuis un pied mère, une jeune pousse qui fera des racines. Ce mode de reproduction avait pour inconvénient la présence sur une même surface de plants d'âges divers, donc de taille, forme et rendement très différents.

Avant les premières gelées, le vigneron amendait ses vignes avec des "magasins", engrais composé d'un mélange de fumier, de terre et de sable. Les magasins étaient portés à dos d'homme.

Pour ficher les piquets dans le sol, le vigneron devait fournir un gros effort, n'ayant que son seul poids pour appuyer sur l'échalas.

Pour fixer les jeunes pousses à l'échalas, le vigneron les liait avec de la paille, trempée dans de l'eau pour qu'elle soit souple. Afin de garder les brins utilisables toute la journée, ils étaient conservés dans un linge humide que le vigneron attachait à sa taille.

Madame Clicquot n'a pas connu la vigne plantée en lignes, qui ne date que du début du siècle. Avant la crise du phylloxéra, les vignobles étaient plantés "en foule" : les pieds étaient dispersés d'une manière plus ou moins anarchique. Cela explique que tous les travaux se faisaient à la main, aucun animal de trait ne pouvant pénétrer dans les vignes.

Le grand panier mannequin en osier, la clayette et le sécateur, outils de travail des vendangeurs et des trieuses de raisin.

En matière de vignoble, celui qui inversera la politique jusqu'alors suivie, c'est bien Alfred Werlé. Il investira beaucoup et, somme toute, jettera les bases du vignoble actuel. Contre la volonté même de son père, il acquit, entre 1872 et 1873, une quinzaine d'hectares à Oger, une quinzaine d'hectares au Mesnil et agrandit le vignoble de Bouzy d'une dizaine d'hectares. En bref, en une seule année, il doubla le patrimoine viticole de la maison, patiemment constitué depuis plus d'un siècle. Après la mort de son père en 1884, Alfred Werlé accéléra le rythme de ses acquisitions : une cinquantaine d'hectares répartis entre Vertus, Le Mesnil, Villers-Marmery, Verzy et Verzenay.

Une bonne partie de ces investissements fut réalisée avant même l'arrivée du phylloxéra, ce puceron dévastateur qui apparut en Champagne en 1890 et qui proliféra dans la dizaine d'années qui suivirent. La démarche visionnaire d'Alfred Wer-

lé reste donc d'autant plus remarquable qu'il n'a pas pu profiter de la chute des prix instaurée par cette catastrophe. Mieux encore, il poursuivit cette politique durant l'ère phylloxérique. Certes, l'on peut imaginer que des vignes achetées à l'époque l'ont été dans des conditions avantageuses mais, en fait, leur exploitation coûtait beaucoup plus cher qu'elle ne rapportait. De plus, Alfred Werlé fut l'artisan du contrat ayant pour effet le rattachement à la société du vignoble que possédait en propre la duchesse d'Uzès. Sans doute eut-il l'intuition, son action le prouve en tout cas, qu'un vignoble solide et représentatif serait à l'avenir indispensable à une grande maison de champagne.

Sous l'égide de Bertrand de Mun, gendre d'Alfred Werlé, associé à partir de 1902, cette politique d'extension du vignoble fut poursuivie. Des parcelles plus ou moins importantes furent acquises à Vertus, au Mesnil, à Avize, Aÿ, Mareuil, Villedommange, Villers-Marmery, Pargny. Camille Nicaise et Jean Renault, qui furent par la suite en charge du vignoble, effectuèrent un colossal travail pour lui donner une meilleure homogénéité. Avec une patience infinie, ils négocièrent des échanges de parcelles, achats ou reventes, qui ne portaient dans certains cas que sur quelques centiares ou même seulement quelques pieds de vigne, pour obtenir de belles surfaces d'un seul tenant, plus aisées à gérer et à entretenir.

L'épluchage du raisin demandait une certaine compétence, et, dans les équipes, on retrouvait des femmes qui venaient chaque année pour trier les raisins sur des clayettes; chaque grain pourri, vert ou taché était enlevé à la serpette. On comptait certaines années dans l'effectif plus d'éplucheuses que de cueilleurs de raisins, et c'est pourquoi, malgré les faibles récoltes, la vendange durait quinze à vingt jours.

VENDANGES D'AUTREFOIS

"La vendange étant le résultat d'une année de travail dans les vignes, on s'appliquait à la préparer. C'est avec grands soins et propreté que le matériel de vendanges, pressoirs et cuveries étaient fourbis au moins une quinzaine de jours avant le début de la cueillette. Les ouvriers vignerons s'occupaient des paniers à vendanges, du bois pour les cuisines, et surtout du nettoyage des dortoirs pour la réception des vendangeurs. Ces dortoirs servaient dans l'année de remise à foin pour la nourriture des chevaux de l'exploitation. Les vendangeurs couchaient sur de la paille à même le sol, avec seulement deux couvertures, et un polochon. Aucun moyen de chauffage n'existait car il y avait trop de risques d'incendie. En général, les vendangeurs venaient de Lorraine, du bassin de Briey, en grande majorité des mineurs de fond pour les hommes. Ils arrivaient par le train à la gare la plus proche, 5 kilomètres à faire à pied pour se rendre au vendangeoir, quel folklore! Les valises étaient chargées dans les voitures à chevaux, et les équipes suivaient en chantant avec l'accordéon en tête. Du côté cuisine on avait préparé également le matériel qui était bien rudimentaire : cuisinière à bois, chaudière à soupe, assiettes et couverts en fer étamé, et le quart de vin qui était confié au vendangeur pour la durée de la cueillette. Les légumes étaient produits par le vignoble, pommes de terre, poireaux, et carottes. Pour les choux on s'adressait à un maraîcher, car la consommation était très importante, environ 500 kg entraient dans la composition des potées. Elles étaient le plat unique du soir avec le lard et le jarret de bœuf, seul repas servi dans la salle du réfectoire. Le petit déjeuner et le repas de midi étaient servis à la vigne par n'importe quel temps. Le casse-croûte vers 9 heures se composait d'une charcuterie et d'une part de maroilles. Le célèbre fromage des vendanges était spécialement produit et affiné trois mois à l'avance pour la période des vendanges. Le soir au retour du travail les bordons rentraient à pied au vendangeoir, et après un brin de toilette sous un simple robinet d'eau froide, c'était l'heure de la soupe qui était vite absorbée car les jeunes, malgré la fatigue, organisaient leur petit bal à l'accordéon. C'est ainsi que les jours passaient malgré quelquefois la pluie et le froid. On arrivait au dernier jour, celui du cochelet et là, c'était la fête. Le menu du soir était légèrement amélioré et se terminait par un dessert et le champagne, alors c'était la grande joie et les chansons. Le régisseur, le chef vigneron et la cuisinière recevaient chacun un bouquet de fleurs offert par la reine des équipes de vendangeurs. la soirée se terminait à une heure fort avancée toujours au son de l'accordéon. Le lendemain c'était le départ, avec regrets pour certains, mais en se promettant de revenir l'année suivante, et c'est à pied que le retour à la gare s'effectuait."

Le transport des raisins de la vigne au pressoir se faisait à l'aide des charrettes et des chevaux, avec de grandes précautions pour le déchargement sur les quais. Les paniers mannequins s'alignaient en attendant la pesée et le chargement des pressoirs.

Ces vendanges des années 1950 sont évoquées par Yvon Husson, qui fut pendant de nombreuses années responsable du vignoble de Villers-Marmery.

Il est une tradition chez Veuve Clicquot qui veut que, durant un week-end, les enfants du personnel participent aux vendanges : c'est le "week-end des sansonnets".

VENDANGES D'AUJOURD'HUI

Les équipes de vendangeurs viennent toujours du Nord et de Lorraine. Avec le personnel des vendangeoirs et celui des cuisines, c'est environ 1 000 personnes pour lesquelles Veuve Clicquot doit assurer durant quinze jours l'hébergement et la nourriture.

Depuis une trentaine d'années, l'osier a été remplacé par des paniers et des comportes en plastique. D'un entretien plus facile, ils peuvent être nettoyés plus souvent et leur séchage est plus rapide. L'utilisation des comportes accélère la pesée, car, ces bacs ayant tous le même poids à vide, il n'est plus nécessaire de faire la tare comme autrefois. Ce modernisme contribue à améliorer l'état sanitaire de la vendange et, à terme, donne aux vins les meilleures chances de qualité.

Le folklore des vendanges n'a pas disparu, il est seulement différent. Les rues des villages ne sentent plus la soupe aux choux et ne résonnent plus des sabots des chevaux. Mais il subsiste toujours cette ambiance gaie et fébrile à la fois. Gaie, parce que la cueillette reste l'aboutissement, ressenti ou non, d'un processus naturel toujours admirable. Fébrile aussi, parce que, quelles que soient les conditions climatiques, l'engagement physique de chacun dans sa propre tâche est immense.

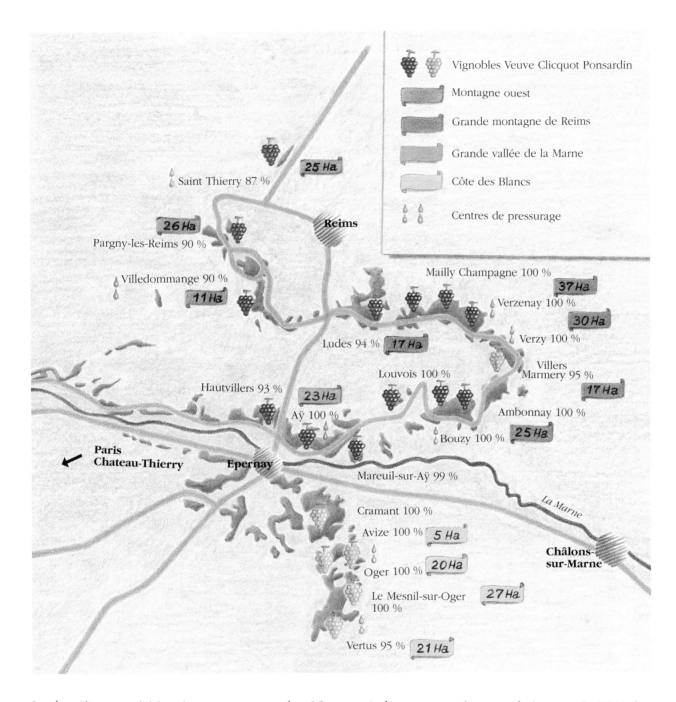

Vignobles Veuve Clicquot Ponsardin

Montagne ouest

Grande montagne de Reims

Grande vallée de la Marne

Côte des Blancs

Centres de pressurage

Saint Thierry 87 % 25 Ha

Pargny-les-Reims 90 % 26 Ha

Reims

Villedommange 90 % 11 Ha

Mailly Champagne 100 % 37 Ha

Verzenay 100 % 30 Ha

Ludes 94 % 17 Ha

Verzy 100 %

Villers Marmery 95 % 17 Ha

Louvois 100 %

Hautvillers 93 % 23 Ha

Aÿ 100 %

Ambonnay 100 %

Bouzy 100 % 25 Ha

Paris Chateau-Thierry

Epernay

Mareuil-sur-Aÿ 99 %

La Marne

Cramant 100 %

Avize 100 % 5 Ha

Châlons-sur-Marne

Oger 100 % 20 Ha

Le Mesnil-sur-Oger 100 % 27 Ha

Vertus 95 % 21 Ha

A l'époque de Madame Clicquot, un vigneron, aidé de son épouse, pouvait arriver, en travaillant beaucoup, à entretenir environ les trois quarts d'un hectare de vigne. Aujourd'hui, pour 284 hectares, Veuve Clicquot emploie, cadres compris, 120 personnes.

La dernière acquisition importante sont les 25 hectares de Saint-Thierry, achetés entre 1967 et 1975. Veuve Clicquot possède aujourd'hui un vignoble de 284 hectares dont la moyenne dans l'échelle des crus est équivalente à 97 %. Il fournit dans une année normale à peu près 25 % des besoins de la maison. Les approvisionnements en raisins sont complétés auprès d'environ 400 "livreurs", dont certains sont les descendants de ceux qui vendaient leur récolte à Edouard Werlé.

119

Cette photo, prise au début du siècle, montre le "petit château d'Oger", nom donné à cette maison qui fut vendue dans les années 1930 et démolie depuis. La disposition des fenêtres de la pièce centrale du premier étage permettait au régisseur d'avoir une vue panoramique sur le vignoble alentour et de pouvoir ainsi surveiller les ouvriers d'un seul coup d'œil.

Déjà à l'époque de Madame Clicquot, le principe d'assembler des vins issus de crus différents était acquis. Hormis ceux provenant de ses propres vignobles, Madame Clicquot achetait généralement des vins "en cercles" (en fûts) qui avaient déjà fait leur première fermentation. Dès 1820, Madame Clicquot commencera à prendre des engagements sur des récoltes à venir, étant entendu que le pressurage, la fermentation et les soutirages continuaient à se faire chez le vendeur, mais de plus en plus souvent sous la surveillance d'un employé de la maison. Il faudra attendre les années 1860-1870 pour que s'instaure l'habitude de n'acheter que des raisins, les différentes phases de la vinification se déroulant par conséquent de plus en plus sous le contrôle direct du négociant. Cette évolution dans les approvisionnements va de pair avec la mise en place progressive d'une gamme de vins arrêtée, situation que n'a pas connue Madame Clicquot. Cette définition d'un style de vin propre à chaque marque, lui conférant ainsi toute sa valeur, est aussi l'aboutissement d'un perfectionnement sans cesse poursuivi des techniques d'élaboration. Dans leurs grands principes, ces techniques furent connues et maîtrisées vers 1880.

CUVÉE ET TAILLE

Hormis la mécanisation des pressoirs, qui ne sont plus actionnés par la seule force de l'homme, les techniques de pressurage sont restées les mêmes que celles respectées par Madame Clicquot.

Le pressurage obéit à des règles strictes : rapidité et absence de brutalité. Elles étaient déjà respectées par Madame Clicquot. Dans un pressoir, on charge généralement 4 000 kilos de raisin en prenant bien garde de ne pas blesser les grappes. L'extraction des jus doit être progressive et se fait par une montée en pression très lente. Cette méthode respecte si bien le raisin qu'après un pressurage, les rafles sont intactes, la peau des grains est pliée mais non déchiquetée. Les premiers jus étant meilleurs en qualité, un fractionnement des moûts est nécessaire : la première serre donne 10,25 hl de moût. Après cette première serre, on procède à une "retrousse", qui est une réorganisation du gâteau de marc dans le pressoir. Suit une deuxième serre qui donne 6,15 hl de moût, une deuxième retrousse, et enfin une troisième serre qui extrait encore 4,10 hl. Le produit de ces trois premières opérations est la "cuvée", correspondant à un total de 20,5 hl. Intervient ensuite l'extraction des "tailles", par laquelle on obtient encore 6,16 hl de jus : la première taille donne deux fois 2,05 hl et la deuxième taille 2,06 hl. Le pressurage de 4 000 kilos de raisins dure environ quatre heures et produit donc 13 pièces de 205 litres : 10 pièces de cuvée, 2 pièces de 1re taille et une pièce de 2e taille. Cette dernière, la moins bonne en qualité, Veuve Clicquot ne l'utilise pas dans l'élaboration de ses vins.

Lettre de voiture, sorte de bon de livraison, "d'un gros tierçon d'eau-de-vie" en provenance de Jarnac à Madame Veuve Clicquot Ponsardin, négociante à Reims. Cet esprit de cognac entrait dans la composition de la liqueur de tirage.

Les bouteilles ne supportaient pas bien la montée en pression du gaz carbonique. Madame Clicquot a connu un taux de casse qui se situait aux environs de 20 % et quelquefois davantage quand une cuvée était particulièrement fougueuse. A la fin du siècle, la casse avoisinait encore les 8 à 10 %. Aujourd'hui, on admet une casse tournant autour de 6 à 8 ‰. Depuis 1982, pas une bouteille n'a été cassée dans les caves Veuve Clicquot.

Lorsqu'on l'interrogeait sur la qualité de ses vins, Madame Clicquot répondait superbement : "Une seule qualité, la toute première!" De nos jours, cette devise reste la préoccupation essentielle de la maison, même si les techniques contemporaines permettent d'obtenir plus sûrement des vins de qualité. En revanche, la manière totalement empirique utilisée par Madame Clicquot pour élaborer ses vins était bien loin de lui donner cette assurance.

Madame Clicquot achetait des vins clairs, à partir desquels elle procédait à des assemblages. Même si ces assemblages étaient réalisés à une échelle qui pouvait paraître importante pour l'époque, ils n'en constituaient pas moins des lots parfois fort différents les uns des autres. Bien qu'attentive à la qualité de ses vins, Madame Clicquot expédiait donc sous son nom des vins qui n'avaient pas toujours, loin s'en faut, ni le même goût, ni la même couleur, ni les mêmes caractères. Ces différences étaient encore accentuées par les problèmes rencontrés aux différents stades d'élaboration. Les deux problèmes principaux rencontrés par Madame Clicquot, et d'ailleurs par l'ensemble des maisons de champagne à cette époque, sont la maîtrise de la mousse et les vins troubles, dont elle dit souvent qu'ils "graissent".

Que les vins de Champagne aient eu une tendance naturelle à mousser, Madame Clicquot l'avait constaté, et d'autres avant elle. En revanche, ce que l'on ignorait à l'époque, c'est que cette mousse était due à la présence de sucre et de ferments, présents dans le raisin. De l'interaction de ces deux éléments, et en fonction de l'importance de leur présence, combinée à une température favorable, se dégage une certaine quantité de gaz carbonique, donc une mousse plus ou moins abondante. La méconnaissance de ce principe faisait que ni sucre ni ferments n'étaient ajoutés au moment du tirage, et la seconde fermentation était laissée au ha-

sard des conditions naturelles. Il serait d'ailleurs plus juste de parler d'une seule fermentation se déroulant en plusieurs étapes que de deux fermentations bien distinctes comme elles sont pratiquées aujourd'hui. En résultait bien évidemment une mousse capricieuse : parfois trop abondante et qui brisait les bouteilles, souvent trop faible et "qui s'en va tout de suite à l'instant qu'elle est formée", souvent aussi complètement absente. Dans ce dernier cas, selon une pratique courante en Champagne, Madame Clicquot était amenée à faire des recoupages avec des vins nouveaux pour tenter d'obtenir de ces vins défectueux "une mousse dont ils semblent ne vouloir à aucun prix".

Madame Clicquot fait cependant plusieurs fois allusion à l'ajout d'une liqueur de tirage, opération qu'elle appelait la "liquorification des vins". Si cette liqueur contenait, en effet, quelquefois du sucre, celui-ci était utilisé dans l'idée de corriger la dégénérescence acide à laquelle les vins faibles pouvaient être sujets. Il faut s'entendre sur le sens du mot "liqueur", qui est à prendre dans son sens primitif "d'alcool". C'est d'ailleurs, le plus souvent, d'un mélange "d'esprit" (cognac fin ou eau-de-vie de champagne) et de vin vieux qu'était composée ladite liqueur de tirage. Elle servait donc surtout à relever le titre alcoolique.

C'est aussi au moment de la liquorification que Madame Clicquot décidait de "mettre" ou non certains vins en rosé. A l'époque, et selon une habitude très ancienne, on y ajoutait de la "liqueur de Fismes" ou "teinte de Fismes", teinture à base de baies de sureau bouillies avec de la crème de tartre, fixée à l'alun. L'utilisation d'une telle décoction fait sourire de nos jours où l'on pratique l'ajout de Bouzy rouge. En réalité, ce vin de Bouzy se vendait extrêmement bien tel quel. Ce sera le cas jusque vers 1850, date à laquelle le champagne mousseux prendra définitivement le pas sur le champagne tranquille.

Une lettre, dans laquelle Madame Clicquot donne ses instructions pour un assemblage fait à Cumières, montre bien le caractère expérimental des vinifications d'alors. Elle précise d'abord qu'elle envoie huit pièces de vins vieux pour le recoupage, puis "vous mettrez dans quatre bouteilles un cinquantième d'esprit et rien dans les quatre autres. Vous poserez ensuite deux bouteilles avec de l'esprit, et deux bouteilles sans esprit, dans la grande cave où le vin sera placé et les quatre autres bouteilles dans le cellier, et il faudra avoir bien soin qu'on ne touche pas à ces essais. On les examinera avant le tirage et selon qu'on verra que l'esprit empêche la mousse, ou que le vin marque au cellier ou à la cave, on se décidera à y mettre de l'esprit ou pas, et à placer les bouteilles du tirage au cellier ou à la cave". L'observation, prélude à la science…

C'est vers 1830 que se fait jour l'idée que l'apport de sucre constitue le facteur favorable à une meilleure prise de mousse. Mais c'est seulement dans les moûts que l'on procédait à cette adjonction et non pas, comme aujourd'hui, aussi dans la bouteille elle-même. Madame Clicquot appliquait cette méthode dès 1824, ayant d'ailleurs grand-peine à trouver auprès de ses fournisseurs "une liqueur de sucre candi suffisamment épurée". Toujours friande d'expériences, et suivant en cela l'évolution générale des techniques, Madame Clicquot constatera, dans les années 1840 et suivantes, que l'apport de la liqueur de sucre "fait généralement un meilleur effet, relativement à la mousse" lorsqu'il est effectué au moment du tirage. Mais il faudra attendre bien des années pour définir la dose optimale à utiliser.

Madame Clicquot faisait soigneusement marquer ses pièces (fûts) et procédait ensuite à ses assemblages.

Il faudra attendre la fin du XIXᵉ siècle pour savoir avec précision que 4 grammes de sucre donnent environ une atmosphère de pression et que 6 atmosphères de pression sont nécessaires à l'obtention d'un champagne de qualité. C'est aussi à partir de 1880 qu'une meilleure connaissance du rôle des levures donnera lieu à leur emploi fréquent pour la deuxième fermentation, puis systématique dans les premières années du XXᵉ siècle.

123

La tradition veut que Madame Clicquot ait fait découper une table de son propre mobilier pour procéder aux premiers essais. Elle aurait même été jusqu'à se faufiler nuitamment dans ses caves pour y faire des expériences en cachette.

L'autre grande question était la clarification des vins. Le responsable des vins troubles, c'est le dépôt, dont on ne savait pas encore qu'il est formé par les cellules des levures multipliées pendant la fermentation. Pour clarifier les vins, la seule méthode consistait à faire couler, par un mouvement sec, le dépôt vers le goulot. On "dépotait" ensuite, c'est-à-dire que l'on changeait le vin de bouteille. Ce moyen, lent et imparfait, devait souvent être pratiqué plusieurs fois et avait comme inconvénient d'affaiblir la mousse. Evidemment, plus le dépôt était faible, plus il était difficile à éliminer : "Il se trouve dans le vin une espèce de sable extrêmement léger... Je crains, malgré toutes les précautions imaginables, de ne point pouvoir faire autrement que d'envoyer du vin renfermant le léger sable en question...", écrit Madame Clicquot. Ce problème tracassait tellement Madame Clicquot qu'elle l'étudia de près avec l'un de ses employés, Antoine Müller. C'est ainsi qu'elle fut amenée à inventer la table de remuage. Les premières applications débutèrent début 1816, ainsi que le prouve une lettre d'Antoine Müller, envoyée d'Avize et datée du 24 janvier 1816 : "J'ai été obligé de laisser encore sur table 40 bouteilles du même vin qui sont par trop chargées et qui avaient l'air d'être fatiguées." Répondant à cette lettre le 30 janvier, Madame Clicquot raconte à Antoine Müller que "nos ouvriers d'ici, malgré tous les efforts de Martin paraissent ne vouloir absolument pas se prêter à la nouvelle manière de travailler". La méthode fut améliorée à partir de 1818, date à laquelle Madame Clicquot fit percer des trous obliques afin que les bouteilles puissent être disposées selon des angles différents. Cette amélioration permettait, en plus de concentrer le dépôt dans le goulot, de faire glisser, en les penchant peu à peu, les sédiments collés aux parois de la bouteille.

La table à remuer horizontale inventée par Madame Clicquot.

Edouard Werlé, puis Alfred Werlé conservèrent les tables jusqu'à la fin du XIXᵉ siècle. Edouard Werlé prétendait en effet que les pupitres "offrent le risque que les bouteilles placées en contrebas soient négligées", ainsi que l'écrit Bertall en 1878 dans *Vignes, voyage autour des vins de France*. Quant à Alfred Werlé, il "est d'avis que ce mode d'opération est préférable à celui des pupitres inclinés et qu'il donne plus rapidement des résultats plus sûrs et meilleurs", selon l'ingénieur Flavien dans *Les Grandes Usines*, ouvrage paru en 1892. C'est Bertrand de Mun qui, dans l'élan de modernisation qu'il imprima à la maison, introduisit les pupitres dans les caves Veuve Clicquot. Enfin, après plusieurs années d'essais, la maison utilise depuis 1979 des cages hexagonales. Elles sont conçues pour subir un mouvement horizontal et un mouvement vertical et ont exactement le même effet que le pupitre, à ceci près que le résultat est plus homogène et plus sûr.

Pour faire vieillir ses vins, Madame Clicquot utilisait de la ficelle pour fermer ses bouteilles. Sujette à la pourriture, celle-ci donnait beaucoup de "recouleuses", des bouteilles qui fuyaient. Sont ensuite apparues les agrafes, toujours posées sur un bouchon de liège. Depuis les années 1960, on utilise des bouchons couronnes.

Il ne faut pas en déduire que, du jour au lendemain, Madame Clicquot n'obtint que des "vins clairs comme de l'eau de roche" ainsi que les souhaitait Louis Bohne. De nombreux autres problèmes n'étaient pas réglés, comme la prise irrégulière de mousse qui se prolongeait quelquefois jusqu'après l'expédition des vins, les "précipitations grasses" dues à l'ajout souvent exagéré de sucre dans les moûts et que la "force insuffisante de la mousse n'arrivait pas à corroder", selon la théorie de Madame Clicquot. Cependant, la mise au point du remuage permettait d'expédier beaucoup plus rapidement des vins par ailleurs mieux clarifiés.

Vers 1840 apparurent en Champagne les pupitres tels que nous les connaissons aujourd'hui. Ils présentent l'avantage, tout en offrant les mêmes possibilités que les tables horizontales, de prendre beaucoup moins de place. Mais, fidèles à l'invention de Madame Clicquot,

Dans les cages hexagonales sont superposés trois lits de bouteilles, ce qui permet de remuer 381 bouteilles en même temps.

Les paniers "six cases" pouvaient être disposés sur une petite charrette à bras que l'on appelait une gaillotte.

UNE VISITE DANS LES CAVES DE MONSIEUR WERLÉ

"Ayant reçu des bougies allumées, nous commençons le tour des établissements Clicquot, pénétrant d'abord dans le vaste cellier Saint-Paul où les milliers de bouteilles, qui nécessitent d'être remuées chaque jour, reposent le goulot en bas sur de larges tables perforées qui peuplent le lieu. C'est une singularité que chacun des celliers Clicquot-Werlé, 45 en nombre, le plus petit d'entre eux étant une vaste pièce, possède un nom particulier.

"Dans le cellier à côté, Saint-Matthieu, d'autres bouteilles sont arrangées similairement, ainsi ici que du vin en fûts. Nous passons des rangées d'énormes tonnes, contenant chacune 50 ou 60 hectolitres de vins de réserve. Ensuite nous filons notre chemin entre des rangées qui semblent sans fin de fûts remplis des dernières récoltes et bientôt nous passons les tonneaux contenant la liqueur de dosage.

"Par intervalles, nous arrivons à une ouverture carrée dans le sol par où des bouteilles sont his-

sées des celliers en dessous, prêtes à recevoir leur habillage avant leur mise en caisses ou en paniers, selon les pays de destination...

"Après avoir fait le tour des celliers, nous descendons dans les caves. Un labyrinthe complet de sombres corridors souterrains, creusés dans un lit de craie, qui s'étend sous la ville, dont le plafond et les murs sont en solide maçonnerie plus ou moins noircis par l'âge. Dans un de ces celliers nous apercevons des rangées d'ouvriers en train de doser, boucher, remuer des bouteilles de vin qui viennent de quitter les mains du dégorgeur, dans la lumière pâle d'une demi-douzaine de chandelles de suif (...). De chaque côté, des bouteilles reposent dans des postures variées, la majorité en grosses piles carrées, les autres en casiers légèrement penchés; d'autres encore sont presque debout sur le bouchon tandis que d'autres qui, par suite d'une mousse trop importante ont été endommagées, jonchent le sol et craquellent sous nos pieds...

"Soudain, une forte détonation nous fait tressaillir, comme un coup de pistolet qui se répercute le long de la pièce voûtée. Une bouteille tout près de nous a explosé, projetant son fond lourd aussi nettement que s'il était sectionné par un diamant, disloquant le goulot en le projetant contre les bouteilles voisines. Le vin ruisselle le long du sol, glissant vers le caniveau du centre."

Ce texte est extrait du livre de Henry Vizetelly, A History of Champagne, *paru en 1882 à Londres.*

Soutirage sur colle à l'aide d'un siphon et d'une anchette, grand entonnoir en cuivre. Cette photo a été prise dans les années 1920.

Cuves inox et …

… contrôles analytiques.

L'hygiène et, il faut bien le dire, la qualité, y ont beaucoup gagné.

Jusque dans les années 1960, le transport des moûts aux caves Clicquot se faisait en pièces. Il en allait de même pour la première fermentation qui se faisait aussi en fûts de bois. On transporte aujourd'hui les moûts dans des camions-citernes qui sont déchargés par gravité, évitant ainsi tout contact avec l'air. Par ailleurs, des mesures analytiques très fines sont effectuées à l'arrivée de chaque citerne, et les jus sont déversés dans des cuves qui permettent de contrôler les volumes avec précision, ce qui n'était pas toujours le cas autrefois, car la contenance des pièces pouvait varier. Lorsque tout est bien conforme, les jus sont mis en cuves de fermentation dont la capacité va de 100 à 600 hectolitres. Naturellement, les crus issus des diverses communes sont bien séparés.

Quant aux jus issus des vignobles de la maison, ils sont traités à part. Les cuves sont ensuite ensemencées avec des levures sélectionnées. On procède alors à la chaptalisation, et la fermentation commence. Elle dure environ huit jours. Les cuves permettent un contrôle quotidien des températures tout au long de la fermentation, par aspersion d'eau froide, ce qui était bien sûr impossible avec les fûts. Une analyse complète est alors réalisée sur chaque cuve, puis la fermentation malolactique est sollicitée par l'ajout de bactéries. La fermentation malolactique stabilise biologiquement les vins, et la dégradation de l'acide malique en acide lactique donne aux vins plus de souplesse. Lorsqu'elle est terminée, au plus tard vers Noël, on procède à un soutirage.

Les débuts de la mécanisation : les bouteilles étaient remontées des caves par les paniers de six. Elles sont aujourd'hui directement saisies par la chaîne.

Commence ensuite la dégustation des échantillons pour les assemblages. Ils sont dégustés chez Veuve Clicquot par deux jurys différents, soit une douzaine de personnes utilisant un même système de notation. Avec les vins de réserve, ce sont plus de 700 vins à goûter pour déterminer les préassemblages, puis les assemblages définitifs. La sélection s'opère alors en tenant compte non seulement des caractères organoleptiques des vins, mais aussi de ce que l'on peut appeler le style traditionnel Veuve Clicquot. C'est ce respect de la tradition qui détermine à la fois le choix des cépages et l'incorporation variable de vins de réserve pour le brut sans année (20 à 40 % selon les années). Il va sans dire que l'une des principales préoccupations de la maison consiste à tenir à

un niveau suffisant son stock de vins de réserve de façon à pouvoir, en cas de petite ou médiocre récolte, les faire entrer jusqu'à 50 % dans la composition du brut sans année. Les assemblages terminés, on procède d'abord à une stabilisation des vins par le froid, qui précipite tous les cristaux en suspension, puis à une filtration réalisée également à température négative. Ce système a remplacé le collage que l'on effectuait autrefois dans les pièces. Les vins sont alors parfaitement clairs et la cuvée est prête. Un faible pourcentage des vins seront mis de côté afin de préparer les liqueurs de tirage qui sont composées de sucre et de levures sélectionnées. Bouchées, les bouteilles sont descendues en caves pour la prise de mousse, qui se fait sur cinq à six semaines.

L'arrivée des paniers en haut de la chaîne de remontée des caves.

CRAYÈRE
MENU LUCIEN
CHEF DU CHANTIER DE TIRAGE
45 ANNÉES DE PRÉSENCE A LA MAISON
1938.1983

Pendant plusieurs années (deux ans au minimum pour le brut sans année, quatre au moins pour les vins millésimés), les bouteilles demeurent en caves avant que n'intervienne le remuage. Elles restent ensuite en attente de dégorgement, réalisé au fur et à mesure des besoins. Après le bouchage, le muselage et les contrôles de limpidité et de volume, les bouteilles sont redescendues en caves pour une période de un à six mois. Elles remonteront pour être habillées et ensuite expédiées.

CHAPITRE 5 : LES HABILLAGES

Clicquot-Muiron & Fils.

Depuis la nuit des temps, l'ancre est l'emblème de l'espérance. Elle est aussi synonyme de fermeté, de solidité et de fidélité. Elle est un élément fixe au milieu de la mouvance de la vie. Cette symbolique dut inspirer Philippe Clicquot dans le choix de l'ancre marine, puisque ses vins n'étaient pas expédiés assez loin pour emprunter des bateaux.

Veuve Clicquot-Fourneaux & Cie.

Plusieurs notions ont parfois mis du temps à s'imposer. Tout d'abord la notion de marque : à l'époque où Philippe Clicquot débute son négoce de vin, il propose du "vin de Champagne", et non pas du "Clicquot". De même Madame Clicquot lorsqu'elle commence ses activités. Ce n'est qu'après son premier grand succès, remporté en Russie en 1814, que la tendance s'inversera peu à peu et que les clients préféreront "attendre le bateau envoyé par Madame Clicquot, plutôt que d'acheter un autre vin de Champagne". Avec le triomphe de la marque, commenceront les problèmes de contrefaçons, de copies plus ou moins intentionnelles qui seront, et sont encore, un des soucis constants des dirigeants de la maison.

Autre notion qui apparaîtra progressivement, celle de la gamme. Pendant longtemps, et dans la mesure du possible, la maison adapta ses cuvées et le style de ses vins à chaque pays, pour ne pas dire, à l'époque de Madame Clicquot, à chaque client. C'est avec le succès de la marque que la maison en est venue à proposer une gamme fixe, composée de plusieurs variétés. La référence au millésime n'était pas non plus systématique. Lorsque celui-ci était exceptionnel, comme le 1811 "de la Comète", il pouvait servir d'argument de vente, mais il figurait plus souvent sur les factures ou les documents d'expédition que sur les bouteilles!

A mesure que la signature Clicquot gagnait en notoriété et devenait symbole de confiance et de qualité, sont apparus des signes distinctifs extérieurs devant faciliter l'identification de la marque. La raison n'en est pas exclusivement un besoin d'un raffinement attendu d'un produit de luxe tel que le champagne, mais ce sont aussi les contrefaçons qui, bien malgré elles, ont été l'un des moteurs de l'évolution des habillages et de leur sophistication de plus en plus poussée. Bel hommage du vice rendu à la vertu!

Avant que l'étiquette existât, le seul moyen qui permettait d'authentifier une bouteille de champagne était la marque à feu que l'on apposait sur la base du bouchon et qui se trouvait donc à l'intérieur de la bouteille. La toute première marque à feu que nous connaissions, utilisée par Philippe Clicquot, date de l'année 1798 ou 1799. Elle porte les initiales CM & F, Clicquot-Muiron & Fils, or, la société a pris ce nom en juillet 1798. Il s'agit déjà d'une... ancre marine. On a souvent dit que cet emblème avait été choisi par Madame Clicquot, en hommage à la glorieuse expédition de ses vins faite par bateau en 1814 vers la Russie. Force est de constater que ce symbole de l'espérance avait déjà été retenu par François Clicquot. C'est sûrement pour cette raison que sa veuve décida de le reprendre.

Les bouteilles, à cette époque, étaient en verre d'une couleur très foncée, presque noire. Leurs goulots étaient plus fins et plus élancés que les bouteilles champenoises actuelles, et les épaules moins marquées. Leur contenance variait de 70 à 80 cl. Pour les fermer, Philippe Clicquot utilisait de la cire verte pailletée d'or. Cette cire était d'ailleurs le seul signe extérieur de reconnaissance pour les clients de la maison.

Lorsqu'elle crée la société "Veuve Clicquot-Fourneaux & Cie", Madame Clicquot reprend la même marque à bouchons en modifiant simplement les initiales, qui deviennent VCFC. Elle conserve également "les bouteilles coiffées de leur cire verte, sablée d'or".

A partir de 1814, l'ancre marine n'est plus la seule marque à feu utilisée par Madame Clicquot. En raison du succès remporté cette année-là par les vins de 1811, Louis Bohne suggère que certains bouchons soient gravés d'une étoile "qui rappelle l'influence bienfaisante de la Comète" et "pendant que vous aurez d'aussi bons vins, cette marque flatte tout le monde".

Une des premières contrefaçons dont aura à souffrir Madame Clicquot est la réutilisation de ses bouchons pour fermer d'autres bouteilles que les siennes. Une autre fois, Louis Bohne découvrit une contrefaçon qui n'avait de "vin de Champagne" que le nom, puisqu'il s'agissait d'un "infâme mélange de vin de Graves, de Sauternes, d'eau de bouleau et de liqueur qui s'est enlevé à Moscou comme du pain chaud".

C'est également dans le courant de cette année 1814 que Louis Bohne demande à Madame Clicquot de "faire imprimer ou graver une jolie vignette", probablement une des toutes pre-

mières étiquettes utilisées en Champagne. Elle devait servir à habiller des bouteilles de Bouzy rouge. "Que dorénavant pas une bouteille ne sorte de vos caves au printemps prochain, sans cette singerie."

Or, en 1816, Louis Bohne s'aperçoit avec horreur que l'étiquette a été imitée en Russie : "Notre vin de Bouzy de premier envoi a fait tellement époque qu'on a été jusqu'à contrefaire notre étiquette et vendre d'autres vins sous la rubrique de Bouzy VCP. Car c'est sous ce nom que nos vins sont connus, réclamés à la vente et payés plus chers que d'autres."

A Riga, quelques mois plus tard, il est obligé de faire la même constatation : "Ici aussi j'ai découvert que notre vignette de Bouzy a été contrefaite, le graveur en confectionne SOIXANTE MILLE exemplaires (...). Je ne dis rien tant qu'ils ne font que contrefaire les vignettes, mais s'ils falsifient également la marque au feu, je leur tombe dessus car c'est comme falsifier une signature."

Un peu plus tard, Louis Bohne fait part du désir d'un gros client russe que soit appliqué "un cachet bien large sur la cire de chaque bouteille sur lequel il y aurait gravé à l'entour "Vin de Bouzy de 1811 de la Comète", au centre les mêmes chiffres qui se trouvent sous le bouchon VCP". Les bouteilles pouvaient aussi être gravées soit au nom, soit aux armes des clients qui en faisaient la demande. Bien que Madame Clicquot ne le fît pas très souvent, cette pratique était courante en Champagne.

Le succès des vins de Madame Clicquot allant en s'amplifiant, les marques à feu sont également copiées. Louis Bohne et Madame Clicquot s'évertuent à trouver des moyens pour distinguer les vraies bouteilles de Clicquot : changer tous les ans la couleur de la cire, faire une marque au diamant dans le cul de la bouteille, laisser dépasser d'un demi-pouce la ficelle tenant le bouchon. Probablement ces différentes solutions ont-elles été utilisées tour à tour, ou en même temps. Les habillages n'étaient pas tous identiques, et une même expédition pouvait en comporter plusieurs.

Au début de l'année 1820, un certain Monsieur Lausseure fait preuve d'un remarquable toupet. Il fait un grand tort à Madame Clicquot en expédiant de grandes quantités de vins dont les bouchons sont marqués VCP. Pour masquer sa malhonnêteté et tromper la clientèle, il affirme à qui veut bien l'entendre que VCP signifie simplement Véritable ChamPagne !

Facture des graveurs Pajot et Lefevre de Paris, datant de 1815. Cette facture concerne les étiquettes que Madame Clicquot avait fait imprimer, probablement les toutes premières utilisées en Champagne.

Les bouteilles "coiffées de cire verte pailletée d'or" telles que Madame Clicquot les expédiait.

133

L'exceptionnelle qualité des vins de 1811 fut attribuée au passage d'une comète. Pour commémorer cet événement, les marques "à l'étoile" ou "à la comète" firent leur apparition. Madame Clicquot ne fut pas la seule à utiliser cette comète. Elle figure encore sur les étiquettes de plusieurs maisons de champagne.

Marque à bouchons déposée en 1841. L'utilisation de cette nouvelle marque n'entraîna pas pour autant l'abandon de celles plus anciennes.

Il n'est pas un mois sans que Louis Boissonnet, l'agent de la maison en Russie, ne mentionne des contrefaçons plus ou moins habiles : "Elle (une marque VCP) se trouve en trois mains différentes, le vin est de moyenne qualité, cette marque imitée a été reconnue de suite pour telle...", ou encore : "Un nommé Boltenhagen a vendu 86 caisses à raison de 6 1/2 roubles, et a voulu faire passer son vin pour du VCP. La supercherie est manifeste (...). Ce monsieur a été assez maladroit, voulant donner son vin pour du vôtre, il aurait dû choisir une meilleure qualité." Ces contrefaçons sont d'ailleurs aussi bien élaborées en Champagne que directement en Russie.

Louis Bohne résume très bien la situation : "Comme nos vins ont de la vogue en ce moment, la contrefaçon ne manque pas de s'emparer de la marque VCP sur bouchons et caisses, comme elle s'est saisie de l'étiquette sur les bouteilles de Bouzy."

Mais Madame Clicquot est décidée à ne pas se laisser faire : "Malgré tout, Messieurs les contrefacteurs seront pris pour dupes cet automne car j'ai changé ma marque à feu des bouchons et j'ai fait insérer le nom "Clicquot" en entier dans la nouvelle marque en priant Monsieur Louis Boissonnet de porter ce changement à la connaissance de la bourse. Moyennant l'insertion de mon nom en entier, je pourrai maintenant poursuivre et traduire devant les tribunaux tout falsificateur et je suis déterminée à le faire s'il y a lieu."

Cette mesure est accueillie avec joie par les correspondants : "Le changement de marque sur votre bouchon était tout à fait nécessaire." Malheureusement, elle sera très insuffisante, les contrefacteurs n'hésiteront pas à copier même le nom de Madame Clicquot. En 1821, Madame Clicquot est obligée de publier un avis énergique dans la presse russe :

"Je soussignée, Veuve Clicquot Ponsardin, déclare que les contrefaçons multipliées qu'a éprouvées mon ancienne marque au feu VCP m'ont mise dans la nécessité, il y a un an, de la supprimer et de la remplacer par une nouvelle dont voici le modèle :

"Le public voudra bien ne regarder comme provenant de ma maison que les vins de Champagne dont les bouchons seront empreints de la nouvelle marque au feu en question.

"Je suis déterminée à traduire devant les tribunaux et à poursuivre comme faussaire tout contrefacteur de cette nouvelle marque."

Les agents et amis de la maison sont également mobilisés pour débusquer toute velléité de contrefaçon. Il était difficile de se retrancher derrière les lois puisqu'elles étaient presque inexistantes. En effet, parmi les dispositions prises au moment de la Révolution, l'une d'entre elles faisait bien allusion aux "marques de fabrique", mais surtout dans le sens où l'entendaient les anciennes corporations qui exigeaient la signature de chaque artisan sur le travail accompli. On est donc encore bien loin du phénomène de "marque commerciale", dont la protection restera très incomplète et très insuffisante durant toute la première moitié du XIXᵉ siècle. Ce n'est qu'après 1850 qu'apparaîtront en Europe les grandes lois sur les marques, la première datant du 23 juin 1857. Quant à la réglementation internationale, elle ne commencera à exister que dans le courant de la fin du XIXᵉ siècle. Il faut ajouter à cela que l'appellation "champagne" en elle-même ne bénéficiait encore absolument d'aucune protection. Celle-ci ne sera mise sur pied qu'en 1935, ce qui laissera la porte ouverte à tous les abus.

En 1822, Madame Clicquot précise dans une de ses lettres qu'il lui est en effet impossible de poursuivre les contrefacteurs se trouvant en Russie ou dans d'autres pays étrangers, mais qu'en revanche elle est bien décidée à poursuivre ceux qui pourraient se trouver en Champagne ou en France. C'est ainsi qu'entre autres, elle démasqua un producteur d'Aÿ peu scrupuleux qui utilisait son nom. Les archives de la maison ne disent pas ce qu'il advint de ce dernier, mais il est probable que Madame Clicquot trouva avec lui un arrangement à l'amiable.

Par rapport aux expéditions réalisées par la maison, les chiffres relatifs aux contrefaçons sont très importants. Il s'agit bien souvent de plusieurs milliers de bouteilles, ou de dizaines de caisses à la fois. Certaines années, le nombre de bouteilles de "faux Clicquot" expédiées çà et là pouvait représenter près du quart et même du tiers des expéditions de la maison!

Toujours dans le souci de protéger ses "vrais vins", Madame Clicquot décide qu'un "fleuron" différent sera ajouté chaque année à sa marque à feu. C'est ainsi que le 24 septembre 1825 fut fait, auprès du "secrétariat du conseil des prud'hommes de la ville de Reims, chef-lieu de l'ordre judiciaire de la Marne, par la maison de commerce Vᵛᵉ Clicquot-P., de cette ville", le premier dépôt officiel de trois marques à bouchons : celle que Madame Clicquot avait fait paraître dans la presse russe et deux autres, également disposées en rond, dont l'une possède en son milieu une étoile à cinq branches et l'autre une comète. Trois autres marques à bouchons, dont une mentionne le nom de Werlé, et une marque à feu pour les caisses seront ensuite successivement déposées entre 1841 et 1845. Ces marques à bouchons étaient utilisées indifféremment selon les marchés. Il faut remarquer qu'aucune d'entre elles ne comporte encore ni la mention "champagne" ou "Reims" ni même une indication de provenance plus large comme "France".

D'une façon générale, ces premiers dépôts officiels montrent que la marque commerciale et, par conséquent, les attributs qui la figurent commencent à être reconnus véritablement comme une propriété privée. Ainsi se précise, petit à petit, ce qui constitue aujourd'hui une marque comme Veuve Clicquot : une prérogative estimée formant une des parties essentielles d'un fonds de commerce. Madame Clicquot n'aura connu que les balbutiements de ce droit.

Entre 1830 et 1840, la maison commença à utiliser, encore très sporadiquement, des étiquettes, réduites à leur plus simple expression. Si quelques essais, au reste immédiatement contrefaits,

Dépôt auprès du secrétariat du conseil de prud'hommes de Reims des modèles de marques à bouchons de la maison en date du 12 mai 1841.

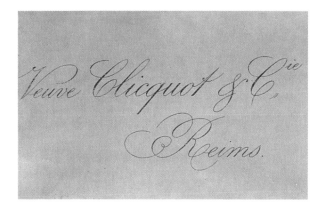

Marque à feu qui était apposée directement sur les caisses ou sur de petites plaques en bois attachées aux paniers d'expédition.

avaient été tentés pour le Bouzy rouge commercialisé en Russie en 1814, l'étiquette va apparaître cependant comme un bon moyen d'authentifier l'origine des vins. Jusque-là, Madame Clicquot estimait que le "champagne mousseux", qu'elle considérait comme le vin le plus haut de gamme, était bien au-dessus de cette fantaisie, de cette "singerie" comme disait Louis Bohne. Pour des raisons diverses, et parce que l'étiquette n'était pas encore entrée dans les mœurs, il faudra du temps pour que toutes les bouteilles partent des caves systématiquement habillées. Pendant cette période de transition, qui durera jusqu'à la fin des années 1850, n'étaient étiquetées que les bouteilles des clients qui en faisaient la demande.

L'AFFAIRE ROBIN

Cette affaire de contrefaçon vaut d'être contée dans le détail. Pour la première fois, Madame Clicquot obtint justice, deux conditions essentielles ayant été réunies : être informée à temps de l'expédition qui se préparait et que tout se déroule sur le sol français. Le sévère arrêt rendu est sans doute un des tout premiers du genre. A de nombreuses reprises, Madame Clicquot s'en prévaudra par la suite pour tenter d'obtenir gain de cause dans des affaires similaires.

Tout commence le 23 mai 1825 par une lettre de Monsieur de Failly, ami de Madame Clicquot. Ce monsieur vient de recevoir une lettre de son fils, inspecteur des douanes à Metz : "Le sieur Robin, marchand de vins à Metz expédie des vins de Champagne avec la marque de Madame Clicquot. Il y a quelque temps, il a expédié pour la Russie 135 caisses de 60 bouteilles de mousseux, qui n'ont pas pu passer à cause des douanes prussiennes. Elles sont rentrées et comme il fallait prouver l'identité des vins sortis, on a débouché des bouteilles qui avaient au bouchon la marque de feu de Madame Clicquot. Ces 135 caisses partiront maintenant par Le Havre pour la Russie." et Monsieur de Failly d'ajouter : "Je n'ai pas besoin de vous recommander de ne point compromettre mon fils qui n'a agi dans cette circonstance que pour vous obliger et parce qu'il a été indigné des manœuvres qui se pratiquent journellement dans le commerce des vins de Champagne..."

Madame Clicquot alerte aussitôt Monsieur Rondeaux, correspondant s'occupant régulièrement des expéditions de la maison : "Je n'ai pas de réflexions à faire ni de ménagement à prendre lorsqu'il s'agit de démasquer et faire punir des fripons qui flétrissent ma réputation commerciale. Il faut un exemple."

Madame Clicquot pense faire saisir les vins à Metz, mais Monsieur de Failly le lui déconseille : "Cela fera bien plus d'effet à Rouen. Vous gagnerez à donner de l'éclat dans une grande place de commerce à une fraude, dont la découverte augmentera votre réputation." Le 11 août, les caisses partent de Metz. Monsieur de Failly envoie la description exacte de leurs marques et leurs numéros. L'ancre marine imprimée sur les caisses est une grossière imitation de la marque de Madame Clicquot. Le 27 août, Rondeaux annonce l'arrivée des caisses. Le commissaire de police et le receveur de l'octroi sont prévenus. On débouche quelques bouteilles : "Tout est parfaitement conforme, pareil et en toutes lettres à votre empreinte à l'étoile sans queue. Le nom en toutes lettres."

Le 1er septembre, le juge d'instruction fait savoir qu'il transmet l'affaire à son collègue de Metz. Madame Clicquot écrit aussitôt au procureur en donnant des précisions reçues de Saint-Pétersbourg : "Robin n'en est pas à son premier coup. Au printemps dernier il a déjà expédié 10 140 bouteilles contrefaites. Vous voyez qu'il était grand temps d'arrêter pareil brigandage si je ne voulais pas discréditer ma marchandise dans une bonne partie de l'Europe. Et qu'il n'y ait pas de pitié avec un coquin de cette espèce-là qui, hier encore, disait ici qu'il n'avait pas cru me faire du tort parce qu'il ne vendait pas à l'intérieur, mais seulement au-dehors." Le 3 décembre, l'avocat de Madame Clicquot, Monsieur Belot, lui annonce le gain du procès. L'arrêt est sévère :

"Marc Robin fugitif est condamné à 10 ans de réclusion, à être marqué de la lettre "F" (qui signifie faussaire) sur l'épaule droite, et à une amende de 100 francs, à 6 000 francs de dommages et intérêts ainsi qu'aux frais du procès." Le jugement prévoyait également que "l'extrait de l'arrêt doit être affiché, à la diligence du Procureur du Roi, par l'exécuteur des arrêts criminels à un poteau qui sera planté sur l'une des places publiques de la ville de Metz. 600 exemplaires de l'arrêt seront affichés partout où besoin sera."

Madame Clicquot, satisfaite de cette sentence, sensationnelle pour l'époque, en fit une grande publicité dans la presse :

"La Maison Veuve Clicquot Ponsardin faisant le commerce de vins de Champagne avec l'étranger et principalement avec la Russie, pays dans lequel elle s'est acquis une réputation méritée, avait été informée par ses correspondants affidés de St-Pétersbourg qu'on vendait depuis un certain temps dans cette dernière ville avec des marques aux bouchons semblables aux siennes des vins de Champagne d'une qualité très inférieure qui ne pouvait venir que d'une contrefaçon frauduleuse, et que le débit à vil prix de cette marchandise nuisait singulièrement au placement de celle qui venait de la source légitime. Intéressée plus que personne à détruire le foyer de cette contrefaçon qui devait se trouver en France même, elle est parvenue après beaucoup de recherches à le découvrir et à faire saisir il y a six mois environ 135 caisses de 60 bouteilles chacune. Le procès contre le faussaire de son nom et de ses marques s'instruisit à sa requête et la cour d'assises de Metz chargée de l'instruction de cette affaire a rendu l'arrêt suivant que la Maison Veuve Clicquot Ponsardin s'empresse de faire connaître à ses nombreux amis du dehors en les priant de se mettre en garde contre la fraude et de continuer à l'honorer de leur confiance."

Robin, qui s'était caché pour tenter d'échapper à la justice, essaya de fléchir Madame Clicquot en lui faisant croire qu'il n'avait fait que fournir les vins, ignorant qu'ils seraient expédiés sous le nom de VCP : "D'après que vous aurez reconnu mon innocence, j'aime à croire, Madame, que vous vous empresseriez à me remettre dans ma première situation." Madame Clicquot, inflexible, lui adressa une réponse courte et sèche : "Votre lettre du 9 courant m'est parvenue. Si vous avez des révélations à me faire, adressez-les moi, et si vous vous croyez innocent, constituez-vous prisonnier à Metz et purgez votre contumace."

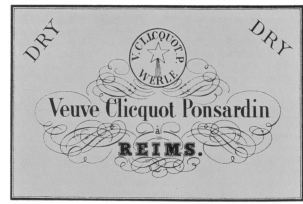

La maison n'a jamais fait usage d'étiquettes fantaisistes, comme ce fut très souvent le cas dans la profession. Sans doute est-ce dû au caractère rigoureux de Madame Clicquot.

Cette étiquette bleue sera abandonnée entre 1897 et 1899.

C'est très exactement le 18 janvier 1858 que furent déposés par Edouard Werlé deux modèles d'étiquettes. En voici la description exacte, telle qu'elle figure sur le document de dépôt : "Sur papier fond blanc affectant la forme d'un parallélogramme entouré de trois filets noirs. Sur la partie supérieure se trouve un cercle dans lequel on lit en lettres noires V. Clicquot P. Werlé; au centre est une comète dont la queue descend perpendiculairement au-dessus de la lettre R du nom de Werlé. Au-dessous de ce cercle, on lit en lettres noires Veuve Clicquot Ponsardin à Reims. Ces inscriptions sont entourées de traits de plume."

La deuxième étiquette est également sur fond blanc. "Au centre se trouve un médaillon fond bleu sur lequel on lit en lettres blanches entourées de traits de plume et divers autres ornements V. Clicquot Ponsardin à Reims, au-dessous Sillery Mousseux ; de chaque côté un médaillon plus petit caché en partie par le médaillon principal on lit sur celui de gauche "1ʳᵉ" et sur celui de droite "qualité". Sur la partie supérieure et dans un cercle sur fond bleu on lit V. Clicquot P. Werlé, au centre une comète. Le médaillon principal est entouré de rayons." L'existence de cette étiquette est certainement due à la vogue extraordinaire qu'avaient pris des noms de crus comme "Sillery" ou "Aÿ", supplantant jusqu'au début du XXᵉ siècle le nom "champagne".

La légendaire étiquette jaune, signe de reconnaissance des amateurs avertis, apparaît quelques années plus tard. Selon toute vraisemblance, elle fut choisie pour distinguer le "dry", que l'on appellera "sec" par la suite, du "doux", aujourd'hui remplacé par le "demi-sec". L'apparition de l'étiquette jaune coïncide avec le goût de plus en plus prononcé des clients pour un champagne moins dosé, moins "sucré" qu'il ne l'était auparavant. Cette tendance n'ira qu'en s'accentuant, ainsi que le confirme, en 1897, le choix de l'étiquette dorée pour la naissance de la qualité "brut". A cette époque, la marque l'emporte sur l'appellation, bien que celle-ci ne soit encore légalement définie : le mot "champagne" ne figure sur aucune des étiquettes.

Les contrefaçons prennent une ampleur de plus en plus considérable alors qu'augmente la conquête de nouveaux marchés comme l'Angleterre, les Etats-Unis, et l'Allemagne qui redevient une importante consommatrice de Clicquot. Une lettre d'Edouard Werlé en résume les principes : "Il se fabrique maintenant beaucoup de vins mousseux à l'étranger, sur les bords du Rhin et notamment dans quelques cantons de la Suisse. Ces industriels étrangers, pour assurer à leurs produits un débit plus facile et plus avantageux, cherchent par tous les moyens possibles à faire passer leurs vins aux yeux du public pour de véritables vins de Champagne et, dans ce but, ils imitent les marques de nos principales maisons. La mienne, entre autres, est l'objet de cette contrefaçon scandaleuse qui se pratique en grand dans les cantons de Neuchâtel ou de Vaud. Pour mieux cacher encore l'origine véritable de ces vins, on les fait transiter en France pour les embarquer vers les marchés étrangers où ils exercent une concurrence aussi funeste qu'illégitime aux produits de notre sol." La maison est obligée de multiplier les mises en garde dans la presse étrangère. Ces agissements poussent Edouard Werlé à faire figurer désormais le plus souvent possible les noms des importateurs ou agents sur les étiquettes. Toujours dans le souci de compliquer la tâche des contrefacteurs, un nouvel élément d'habillage est utilisé à partir de 1882. Il s'agit d'une petite vignette de couleur bleu nuit et de forme hexagonale, appelée contre-étiquette. En plus de l'étiquette, elle servait à apporter une garantie d'origine complémentaire. Elle sera vite remplacée par une vignette reprenant l'ancre marine, les initiales VCP et les mentions "Garantie d'Origine - Marque Déposée".

Contre-étiquette de garantie d'origine.

La cire verte de Madame Clicquot fut peu à peu remplacée par des feuilles d'étain, ou stanioles, qui recouvraient les bouchons. Leur couleur variait en principe selon les qualités, sec ou doux, mais, là encore, rien n'était établi avec précision. En fonction des demandes et des habitudes de certains clients, les habillages pouvaient comporter certaines différences.

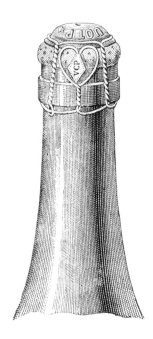

Premier muselet

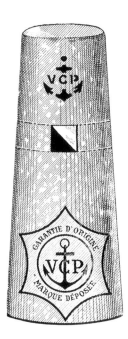

et première capsule de surbouchage remplaçant les feuilles d'étain.

Dès lors, suivant en cela les progrès industriels, l'habillage des bouteilles va s'améliorer nettement et rapidement, ainsi qu'en témoignent les nombreux dépôts successifs effectués par Alfred Werlé, dont, en septembre 1886, la première plaque. En cuivre rouge, elle est "ronde et bosselée, percée d'un trou au milieu et ayant sur la circonférence trois rainures servant à l'application du fil de fer". Ce fil de fer va bientôt devenir le muselet, déposé en 1893. En 1895, on ne se contente plus d'une simple feuille d'étain pour recouvrir le muselet, mais une véritable capsule de surbouchage est mise au point, "en métal mat, verni ou granité", et sur laquelle figurent l'ancre marine et les initiales VCP. En 1899 apparaît l'ancêtre des collerettes actuelles : une bande papier blanche ou jaune, selon la qualité. Quatre ans plus tard, en 1903, les collerettes prendront la forme qu'elles ont actuellement.

Au début du XXe siècle, étaient donc jetées les bases des habillages actuels de Veuve Clicquot. Seuls seront amenés à varier quelques détails : emploi de matières premières différentes dans le capsulage et le surbouchage, vernissage des étiquettes auparavant mates, ajout de mentions légales obligatoires au fil de la mise en place de l'appellation champagne, simplification des arabesques, ou encore abandon de dénominations du style "goût américain" ou "goût argentin". Hormis ces quelques modifications, il est assez extraordinaire de constater l'impressionnante continuité qu'a su préserver la maison à la présentation de ses bouteilles. Ce qui peut paraître un détail est en fait révélateur d'un esprit qui a toujours été une des caractéristiques essentielles de Veuve Clicquot : la constance dans le mouvement. Autrement dit, une grande faculté d'adaptation à toutes les époques de l'Histoire tout en sachant conserver intactes ses traditions et son image. Cette étiquette, âgée d'un siècle et demi, n'est-elle pas encore aujourd'hui le premier contact du consommateur avec une bouteille de champagne Veuve Clicquot?

On pourrait s'imaginer qu'à notre époque, Veuve Clicquot, internationalement connue, soit en quelque sorte tacitement protégée par sa renommée universelle. Or, on s'aperçoit malheureusement que ce n'est pas toujours le cas. Les problèmes de contrefaçons, d'usage d'homonymies plus ou moins évidentes, d'imitations plus ou moins intentionnelles d'étiquettes demeurent. Pour leur faire une chasse constante, un service juridique est mobilisé en permanence, qui travaille en relation étroite avec l'Union des fabricants, organisme qui a des correspondants dans le monde entier. Les contrats de distribution signés avec les agents de tous les pays contiennent également une clause qui leur fait obligation d'être vigilants contre toute usurpation de nom, imitation d'habillage ou publicité pouvant semer le doute dans l'esprit du public.

C'est ainsi qu'une société de boissons gazeuses du Massachusetts qui vendait ses produits, au début des années 1960, sous le nom de "Clicquot Club" s'est vue contrainte de modifier en "Cliko" l'orthographe de sa raison sociale. Qu'en 1969, un brandy, commercialisé sous le nom de "Château Clicquot", dut renoncer à son nom. Que plusieurs petites maisons de Champagne ou élaborateurs de vins mousseux allemands, espagnols ou sud-américains, dont l'étiquette reprenait non seulement la typique couleur jaune mais aussi la disposition générale, les arabesques, propres à Clicquot, se sont vus dans l'obligation de modifier la présentation de leurs bouteilles. Qu'une société française qui désirait lancer une marque "Veuve Blanche" en Angleterre dut y renoncer. Que fut interdite une marque "La Viuda" en Equateur.

La protection de la marque Clicquot doit aussi s'exercer dans des domaines qui n'ont pas forcément un lien direct avec l'univers des boissons. Au début de l'année 1983, à Rotterdam, un spectacle de danse, d'une qualité assez médiocre, avait pris le nom de "Veuve Clicquot" sans aucune autorisation. Il fut ordonné par le tribunal de la place que l'entreprise en question cesse d'utiliser un nom prestigieux qu'elle dévalorisait. Il en fut de même pour des tee-shirts portant la marque Clicquot fabriqués en Allemagne.

Quelques exemples de contrefaçons, imitations de noms, d'étiquettes, d'habillages...

Un jugement du 12 juillet 1945 a de plus stipulé que le nom "Clicquot", même employé seul, constituait indivisiblement, de par l'usage, l'élément essentiel de la marque "Veuve Clicquot Ponsardin". L'usage a également consacré l'utilisation dans certains pays des termes "La Veuve", "La Viuda" ou "The Widow" pour nommer le champagne Veuve Clicquot Ponsardin. Ces trois dénominations ont donc été déposées comme marque dans une trentaine de pays différents. Ce faisant, la maison n'entend pas disqualifier toutes les veuves qui pourraient donner leur nom à des entreprises, mais se réserve les mots "La Veuve", employés seuls et sans nom propre. Le "Cercle des Amis de la Veuve", qui réunit les plus ardents amateurs de la marque, en est l'illustration.

MARQUES HOMONYMES

Envieux et conscients du capital confiance peu à peu acquis par la marque Veuve Clicquot Ponsardin, certains n'hésiteront pas à se livrer à des agissements tout aussi malhonnêtes que les contrefaçons : la commercialisation de marques quasi homonymes. Très tôt, alors que le droit des marques était un principe encore abscons, Madame Clicquot s'employa à lutter contre ces nuisances : "Ce genre de contrefaçon pourrait prendre de l'importance et un jour, nous pourrions avoir à regretter de n'avoir pas combattu cette tendance dès le principe", écrit-elle à son agent de Saint-Pétersbourg, Louis Boissonnet. C'est ainsi qu'un certain Eugène Clicquot causa de gros soucis à Madame Clicquot dans les années 1840. Charpentier à l'origine, cet Eugène Clicquot avait compris le bénéfice qu'il pourrait tirer à créer une confusion de nom. Il alla même jusqu'à se faire passer pour le neveu de Madame Clicquot, dont il reprenait peu à peu, disait-il, les activités. A la même époque, un certain Clicquot Jeune fit croire à plusieurs clients russes que Madame Clicquot était décédée (!) et qu'il lui avait racheté son commerce. Lorsqu'ils passeraient des ordres, lesdits clients étaient désormais dans l'obligation d'acheter moitié des vins de "l'ancienne marque" et moitié des vins de Clicquot Jeune.

En dépit de l'apparition progressive de lois permettant aux marques de se défendre en France et à l'étranger, ces pratiques continuèrent. Un certain Clicquot, bottier à Reims, ne donna-t-il pas intentionnellement le prénom de Victor à l'un de ses fils et ne l'orienta-t-il pas vers le commerce des vins de Champagne, en nourrissant l'espoir que l'initiale "V", à côté du nom de Clicquot, permettrait une profitable confusion? Il fallait tout de même une certaine suite dans les idées! Ce Victor Clicquot fonda effectivement un commerce en 1892. Bien que les expéditions de cette maison n'aient jamais été très élevées, elles causèrent pendant plusieurs dizaines d'années un préjudice véritable à Veuve Clicquot : le consommateur, qui avait été trompé par la qualité nettement inférieure du Victor Clicquot, abandonnait le Clicquot. Aussi bien l'authentique, qu'il ne connaissait pas assez, que le faux qui l'avait trompé. Il existe bien d'autres exemples : Henri Clicquot, Lucien Clicquot, Veuve Clicquot Lefèvre, Veuve Ponsardin, etc. Ces entreprises étant généralement restées assez modestes, la meilleure défense pour Veuve Clicquot Ponsardin fut de les racheter à chaque fois que les circonstances le permettaient.

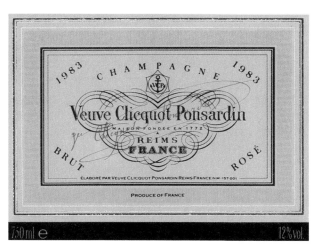

Les bouteilles remontent des caves,

sont lavées et habillées,

subissent plusieurs contrôles de limpidité,

puis sont expédiées.

143

Le sceau dans l'œillet du muselet est identique aux tout premiers muselets utilisés par la maison. Le staniole qui recouvre le bouchon est similaire aux feuilles d'étain qu'utilisa Madame Clicquot lorsque, peu à peu, le bouchage à la cire fut abandonné.

"La Grande Dame de la Champagne", c'est ainsi que fut surnommée à son époque Madame Clicquot. Il est donc bien naturel que la cuvée d'exception de la maison lui soit dédiée. En souvenir de tout ce qu'elle fit pour imposer son champagne auprès des têtes couronnées et des célébrités du monde, cette cuvée se nomme "La Grande Dame".

Dans les moindres détails, tout est un hommage à Madame Clicquot. De la présentation extérieure au vin qu'elle contient, "La Grande Dame" est le rappel permanent d'un retour aux sources. La bouteille est une réplique de celles qu'utilisait Madame Clicquot au temps de la conquête des marchés russes : de forme très pure et très classique, d'un verre d'une couleur très sombre. En effet, dès les années 1800, les bouteilles en "verre noir" étaient appréciées aussi bien pour leur résistance que pour leur esthétique sur les tables. Les verreries qui fabriquaient les bouteilles champenoises étaient d'ailleurs appelées "verreries noires" par opposition aux "verreries blanches" qui produisaient du verre à vitre ou des glaces. Madame Clicquot fut toujours extrêmement exigeante sur la solidité et la forme des bouteilles qu'elle commandait et n'hésitait pas à renvoyer aux fabricants celles qui ne lui convenaient pas.

La Grande Dame représente tout un ensemble de traditions héritées de Madame Clicquot. Ce grand vin lui rend un hommage d'autant plus noble qu'il est présent, à travers le monde entier, dans les plus grands restaurants, les caves les plus luxueuses, les night-clubs et les casinos les plus prestigieux...

Le poids de La Grande Dame est également similaire à celui des bouteilles anciennes, du temps où elles étaient soufflées individuellement à la bouche. Les bouteilles de Madame Clicquot pesaient environ 35 onces, soit plus d'un kilo. Ce n'est qu'au début de notre siècle que les bouteilles s'allégèrent aux environs de 800 grammes, poids d'une champenoise contemporaine.

L'épaulement est gravé d'une ancre marine, symbole le plus ancien utilisé par la maison; c'est aussi la remise au goût du jour d'une tradition courante de la fin du XVIIIe siècle, début du

XIXe. Les grandes familles, mais aussi les restaurateurs et aubergistes faisaient souvent graver leurs armoiries ou leur nom sur les bouteilles des vins qu'ils achetaient. Madame Clicquot le fit faire à plusieurs reprises à la demande de certains de ses clients.

Pour ses vins, Madame Clicquot avait une ligne de conduite très simple : "Une seule qualité, la toute première!" Lorsqu'elle constitua son propre vignoble, alors qu'aucune hiérarchie officielle n'existait encore, elle n'acheta des vignes que dans des terroirs qui seront par la suite classés à 100 % dans l'échelle des crus (Bouzy, Verzenay, Verzy). De même, quand Madame Clicquot prenait des engagements sur des récoltes, elle choisissait des vignerons dont les terres étaient situées à Ambonnay, Aÿ ou Avize, Le Mesnil, Oger... Ce sont précisément de ces crus, figurant depuis toujours dans les "livres de cave" de Madame Clicquot, que proviennent les vins composant La Grande Dame. Cette cuvée n'est élaborée que dans les millésimes de qualité exceptionnelle.

La Grande Dame, un bel homage de la maison à sa fondatrice.

CHAPITRE 6 : RÉFÉRENCES

RÉFÉRENCES

Chantier d'excavation de la craie à l'époque romaine. On comprend ainsi la forme que pouvaient avoir certaines crayères et les nombreuses galeries qui les reliaient entre elles.

Inscriptions datant de la Première Guerre mondiale et qui indiquent où se trouvaient les abris, l'hôpital, etc., une véritable ville souterraine s'était ainsi organisée.

La partie la plus ancienne des caves de la maison est constituée de carrières de craie, ou "crayères", dont certaines remontent à l'époque romaine. En 57 av. J.-C., Jules César décida en effet de faire de Reims, rebaptisée Durocortorum, la capitale de la Gaule seconde. Pour bâtir les monuments et voies de communication, les Romains eurent recours au matériau qui se trouvait sous leurs pieds. Les premières extractions se firent à ciel ouvert, puis, en raison des intempéries, ils décidèrent de creuser d'abord des cheminées, que l'on appelle aujourd'hui des "essors", pour extraire ensuite la craie en sous-sol. La profondeur des caves est d'environ 18 à 20 mètres et, mises bout à bout, celles-ci représenteraient approximativement une longueur d'une vingtaine de kilomètres.

Durant la Première Guerre mondiale, les caves Clicquot accueillirent plus d'un millier de civils : le personnel de la maison, mais aussi ceux qui souhaitaient s'abriter des bombardements. Un hôpital y fut installé quelque temps, des offices religieux y furent célébrés, les enfants des écoles y suivirent leurs cours, et on y donna même de petites représentations théâtrales. Les caves, qui communiquent toutes entre elles, permettaient aussi aux troupes de circuler en toute sûreté. C'est dans les caves que sont aujourd'hui intronisées les personnalités qui font partie du "Cercle des Amis de la Veuve". Ce cercle, fondé il y a une quarantaine d'années, regroupe des personnalités du monde entier qui, toutes, se sont moralement engagées à faire rayonner le nom de Madame Clicquot à chaque occasion.

Il est une tradition qui veut que chaque employé ayant effectué toute sa carrière dans la maison laisse son nom à une des crayères.

149

RÉFÉRENCES

Collectionneur et amateur de peinture et de sculpture contemporaine, c'est à Gustave-André Navlet qu'Alfred Werlé avait commandé les deux hauts-reliefs qui décorent les caves de la

maison. Cet artiste né à Châlons-sur-Marne exerça son talent dans les caves de plusieurs autres maisons. Le champagne et la Grèce antique furent ses deux sujets de prédilection.

"La Champagne nommant son favori", la déesse de Champagne élisant le Champagne Veuve Clicquot.

Petite peinture anonyme d'un (vraisemblable) amateur de champagne Veuve Clicquot. Il est curieux que l'artiste ait choisi de représenter l'étiquette blanche, antérieure de quelques années à la fameuse étiquette jaune, mais moins célèbre. Simple raison d'esthétique pour l'ensemble de la composition, ou le peintre préférait-il le champagne doux ?

VOYAGE EN RUSSIE

"... Souvent, au sortir d'un spectacle ou d'une soirée, quand la neige brille comme du marbre pilé, que la lune resplendit claire et glaciale, ou qu'en absence de la lune, les étoiles ont cette vivacité de scintillation que produit la gelée, au lieu de penser à rentrer au logis lumineux, confortable et tiède, une société de jeunes gens et de jeunes femmes, bien enveloppés de leurs fourrures, font la partie d'aller souper aux îles; on monte dans une troïka, et le rapide équipage, avec ses trois chevaux en éventail, part au milieu d'un tintement de grelots soulevant une poussière argentée. On réveille l'auberge endormie, les lumières s'allument, le samovar chauffe, le vin de Champagne de la veuve Clicquot se frappe, les assiettes de caviar, de jambon, de filets de harengs, les chauds-froids de gélinotte, les petits gâteaux s'arrangent sur la table. On becquette un morceau, on trempe sa lèvre aux verres multiples, on rit, on bavarde, on fume, et pour dessert on se fait rouler du haut des montagnes de glace qu'éclairent des moujiks tenant des falots; puis l'on revient à la ville vers deux ou trois heures du matin, savourant au milieu d'un tourbillon de rapidité, dans l'air vif, cru et sain de la nuit, la volupté du froid. (...).

"... Maintenant que nous avons indiqué à peu près le décor, il est temps de passer au dîner. Avant de se mettre à table les convives s'approchent d'un guéridon où sont placés du caviar (œufs d'esturgeon), des filets de harengs marinés, des anchois, du fromage, des olives, des tranches de saucisson, du bœuf fumé de Hambourg et autres hors-d'œuvre qu'on mange avec des petits pains pour s'ouvrir l'appétit. Le luncheon se fait debout et s'arrose de vermouth, de madère, d'eau-de-vie de Dantzig, de Cognac et de cumin, espèce d'anisette qui rappelle le raki de Constantinople et des îles grecques. Les voyageurs imprudents ou timides, qui ne savent pas résister aux insistances polies, se laissent aller à goûter de tout, ne songeant pas que ce n'est là que le prologue de la pièce, et ils s'asseoient rassasiés devant le dîner véritable.

"Dans toutes les maisons comme il faut, on mange à la française; cependant le goût national se fait jour par quelques détails caractéristiques. Ainsi, à côté du pain blanc on sert une tranche de pain de seigle bien noir, que les invités russes grignotent avec une sensualité visible. Ils paraissent aussi trouver fort bons des espèces de concombres marinés à l'eau de sel, qu'on nomme ogourtzis, et qui, d'abord, ne nous ont pas paru autrement délicieux. Au milieu du dîner, après avoir bu les grands crus de Bordeaux et le vin de Champagne de la veuve Clicquot, qu'on ne trouve qu'en Russie, on prend du porter, de l'ale, et surtout du kwass, espèce de bière locale faite de croûtes de pain noir fermentées, au goût de laquelle il faut s'accoutumer et qui ne semble pas, aux étrangers, digne des magnifiques verres de Bohême ou d'argent ciselé où mousse sa liqueur brune. (...).

"... La table était splendidement servie, couverte d'argenterie et de cristaux, hérissée de bouteilles de toutes formes et de toutes provenances. Les longues quilles de vin du Rhin dépassaient de la tête les bouteilles de vin de Bordeaux au long bouchon, coiffées de capsules métalliques, les bouteilles de vin de Champagne au casque en papier de plomb; il y avait là tous les grands crus, les châteaux d'Yquem, les hauts Barsac, les châteaux Lafitte, les Gruaud-Larose, la veuve Clicquot, le Roederer, le Moët, les Steinberg-Cabinet, et aussi toutes les marques célèbres de bières anglaises, un assortiment complet de boissons illustres chamarré d'étiquettes dorées, aux couleurs vives, aux dessins engageants, aux blasons authentiques. C'est en Russie que se boivent les meilleurs vins de France..."

THÉOPHILE GAUTIER
(1867)

En hommage au formidable talent de Madame Clicquot, la maison distingue chaque année des femmes qui, par leur dynamisme, leur courage et leur efficacité, participent avec succès au monde des affaires. Bien que les femmes d'affaires modernes aient à surmonter des difficultés bien différentes de celles rencontrées par Madame Clicquot , la même volonté et la même ténacité les animent.

Le Prix Veuve Clicquot de la femme d'affaires existe en Angleterre depuis 1973 et s'est étendu à de nombreux pays dont, bien entendu, la France, mais aussi l'Australie, l'Irlande, les Pays-Bas, le Canada, l'Allemagne, la Suisse, la Suède, le Danemark, les Etats-Unis, la Norvège et même le Japon. Aucun domaine d'activité particulier n'a la préférence, seuls comptent l'esprit d'entreprise et la détermination. Un comité siégeant dans chaque pays sélectionne quatre candidates. Leurs dossiers sont envoyés à chacun

des membres d'un jury dit "des Grands Electeurs", composé de personnalités du monde des affaires et de la presse. La candidate ayant reçu le plus de voix est déclarée lauréate. Chaque lauréate reçoit son prix dans son propre pays puis, à l'automne, toutes les gagnantes sont invitées à Reims où elles sont intronisées dans le Cercle des Amis de la Veuve. Un pied de vigne leur est également attribué.

Venues de tous les horizons, les lauréates du Prix de la femme d'affaires ont en commun, dans des domaines et dans des styles différents, une carrière exemplaire : Françoise Nyssen, directeur général de la maison d'édition française Actes Sud, Ruth Rasmussen, directeur général de l'entreprise familiale Hudevad Radiatorfabrick au Danemark, Patty Dedominic, fondatrice et président de PDQ Services Inc, société de personnel intérimaire spécialisée aux Etats-Unis, Mairead Sorenson, directrice des Chocolats irlandais

Les lauréates du Prix de la femme d'affaires 1991 en compagnie de Monsieur Joseph Henriot, président-directeur général de la maison. Chacune tient le piquet qui désignera le pied de vigne qui lui sera dévolu dans le vignoble de Veuve Clicquot.

Butlers, Anne Øian, directeur général du Département maritime et aérien de Den Norske Bank, la plus grande banque norvégienne, Prue Leith, président du groupe alimentaire Prudence Leith Ltd à Londres, ou encore Rei Kawakubo, créatrice de mode au Japon et président de la marque Comme des Garçons...

Dans le domaine des encouragements, Veuve Clicquot décerne également chaque année un prix en collaboration avec l'Association des vieilles maisons françaises. Créé depuis 1958, le prix VMF récompense les restaurations exemplaires de demeures anciennes. Veuve Clicquot appuie ces restaurations et attribue 50 000 francs aux propriétaires de demeures ayant une activité viticole. Cette forme de mécénat contribue au rayonnement du patrimoine et du tourisme français.

Le château de Malle dans le Sauternais, lauréat en 1991 du prix VMF Veuve Clicquot.

Personnage en bois, issu de la collection du château de Malle et utilisé à l'origine comme décor de théâtre de verdure. Cette effigie fut reprise sur l'invitation à la grande soirée baroque donnée par Veuve Clicquot au château de Malle en juillet 1991.

L'abbaye de Valmagne dans l'Hérault, lauréate en 1990 du prix VMF Veuve Clicquot.

Les "Royal Warrants", ou accréditations officielles en tant que fournisseur des cours royales.

Avril 1956 : expédition de douze doubles magnums de Brut 1929 à l'occasion du mariage du prince Rainier avec Miss Grace Kelly.

CONSTANTIN
ROI DES HELLÈNES

D'ORDRE DE SA MAJESTÉ LE ROI,

LE MARÉCHAL DE LA COUR A L'HONNEUR D'ACCORDER A

LA MAISON "VEUVE CLICQUOT - PONSARDIN, S.A." REIMS,

LE TITRE DE FOURNISSEUR DE LA COUR ROYALE DE GRÈCE.

Palais de Bruxelles
Le 25 mai 1971.

Messieurs,

J'ai l'honneur de porter à votre connaissance
que le Roi a bien voulu accueillir votre demande et vous
conférer le titre de

Fournisseur Breveté de la Cour.

La présente vous tiendra lieu de brevet.
Les distinctions de ce genre sont strictement
personnelles et toujours révocables; elles ne peuvent être
transférées à des tiers sans autorisation du Souverain.
Agréez, je vous prie, Messieurs, l'expression de
mes sentiments distingués.

L'Intendant de la Liste Civile,

Maison
Veuve Clicquot-Ponsardin
Reims.

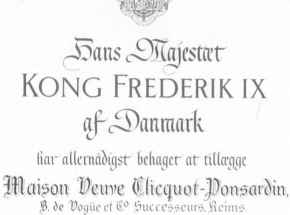

Hans Majestæt
KONG FREDERIK IX
af Danmark

har allernådigst behaget at tillægge

Maison Veuve Clicquot-Ponsardin,
B. de Vogüe et C⁰ Successeurs, Reims.

PRÆDIKAT AF

"Fournisseur de la Cour de Sa Majesté le Roi
de Danemark",

hvilket herved ifolge allerhøjeste befaling

meddeles til vitterlighed.

Amalienborg, den 23' marts 1955.

HOFMARSKAL

Zijne Koninklijke Hoogheid
de Prins der Nederlanden

verleent hierbij aan

Veuve Clicquot-Ponsardin
Reims

tot wederopzegging vergunning tot het voeren van
het wapen van Zijne Koninklijke Hoogheid met
de titel van Hofleverancier van Z.K.H. de Prins
der Nederlanden

Le roi Gustave V de Suède, grand joueur de tennis et grand amateur de Veuve Clicquot. Dédicaçant cette photo le 7 juin 1937, il écrivit au dos : "Mes salutations les plus sincères à ceux qui produisent ce fameux vin royal !"

157

RÉFÉRENCES

*Le roi Edouard d'Angleterre était
un fervent amateur de
champagne Veuve Clicquot.
A ce dîner, qui fut servi en son
honneur et en celui de l'empereur
François-Joseph d'Autriche
le 16 août 1905 à Marienbad,
rien de moins que trois qualités
différentes de Veuve Clicquot
accompagnèrent cet
impressionnant menu.*

*La reine Elizabeth II, comme ses
prédécesseurs, reste un fidèle
amateur de Veuve Clicquot.*

DINER

Tortue claire

Potage à la Reine

Truites au bleu et en belle-vue   Rauheneck

Tafelspitz

Carottes, épinards, pommes nouvelles   Chateau Lafitte

Selle de chevreuil, airelles   Grand vin 1875

Chaufroix de perdreaux

Poulardes du Mans rôties   Veuve Clicquot Ponsardin

Grousse de l'Ecosse   England demi-sec

Compote niçoise, salade cœur de laitue   dry England

Aubergines frites   Vin brut

Glace au chocolat

Fraises à la crème

Gateau mille feuilles   Cognac Courvoisier

Fruit et Dessert   Curaçao Bols

Hôtel Weimar   MARIENBAD   le 16 août

The Directors of H. Parrot & Co. Limited
and
Veuve Clicquot Champagne
request the pleasure of your company
at a Reception to launch their

Veuve Clicquot Jubilee Cuvee 1970

shipped in honour of

The Queen's Silver Jubilee

at 30 Pavilion Road, Hans Crescent, London, S.W.1.
on Monday 24th January 1977

R.S.V.P.
THE OLD CUSTOMS HOUSE,
3 WAPPING PIER HEAD,
WAPPING HIGH STREET,
LONDON, E1 9PN.
01-480 6312

6.00-8.00 p.m.

Etiquette et collerette de la cuvée
spéciale créée en 1970 en
l'honneur du jubilé de la reine
mère. Les cuvées spéciales
élaborées depuis le début du siècle
pour la famille royale sont
nombreuses. La dernière en date
est celle qui fut faite pour
le mariage du prince de Galles
et de lady Diana Spencer
en juillet 1981.

159

Le nom de Madame Clicquot, malheureusement bien souvent écorché, a été ainsi chanté sur tous les tons, langoureux ou endiablés, et sur tous les rythmes, valses, tangos, polkas…

Dans les années 1830-1840, la grande époque des caveaux littéraires parisiens fréquentés par les chansonniers, naissait la vogue des chansons populaires à succès. Cette mode se poursuivra jusque dans les années 1930. Les paroles de ces chansons citaient très souvent de grandes marques de champagne et, plus la marque était prestigieuse, plus les refrains étaient repris. Clicquot eut ainsi droit à son lot d'opérettes, vaudevilles et autres revues.

Non content d'aller les écouter dans les spectacles et les cabarets, le public pouvait aussi acheter chez les éditeurs de musique des "petits" et "grands" formats, sorte de partitions qui firent véritablement fureur. La demande sans cesse grandissante mettait à rude épreuve l'imagination des auteurs, et la qualité des textes laisse à désirer dans la plupart des cas.

LA LÉGENDE DU CHAMPAGNE

La légende, et j'en suis son plus fidèle écho,
Rapporte que Noé, vigneron intrépide,
Inventa, cultiva, dégusta le clicquot,
Et qu'il prisa si fort cette mousse limpide,
Que devant ses trois fils l'inventeur s'enivra.
Ceci semblerait donc prouver que
la Champagne
N'est pas si loin qu'on croit de ce
mont Ararat
Où l'arche du buveur tenait alors
campagne…

LUCIEN HUBERT

Sur une musique de Charles
Lecoq, ce refrain a fait plusieurs
fois le tour du monde :

"Ah versons, versons encore
S'il est un vin qu'on adore,
De Paris à Macao
C'est le Clicquot!
Extrait de Fleur de Thé.

L'Heureux Chevalier

Poésie de Xavier Privas

GAIETÉ

Doux Chevalier de franche mine,
Quel astre idéal illumine
Ton regard clair de mille feux?
– Le bonheur brille dans mes yeux,
Car j'ai la gaieté pour compagne,
Je suis Clicquot, roi de Champagne.

CHANCE

Preux Chevalier de noble race,
Celui qui marche sur ta trace
Vaincra-t-il dans tous les combats?
– Qui veut le succès suit mes pas,
Car j'ai la chance pour compagne,
Je suis Clicquot, roi de Champagne.

GLOIRE

Beau Chevalier de fière allure,
Bouillant sous l'or de ton armure,
Quel nom tiens-tu de tes aïeux?
– Mon nom est célèbre en tous lieux,
Car j'ai la gloire pour compagne,
Je suis Clicquot, roi de Champagne.

SANTÉ

Chevalier, ta valeur m'enivre,
Je veux combattre, vaincre et vivre
Sous ta bannière et sous ta loi.
– Si tu veux vivre, ami, suis-moi,
Car j'ai la santé pour compagne,
Je suis Clicquot, roi de Champagne.

.LA VEUVE JOYEUSE.

Comment ne pas succomber à l'évocation de La Veuve Joyeuse avec un nom comme Veuve Clicquot, synonyme de vin le plus gai du monde?

LE SOUPER

Jean-Claude Brisville

ACTES SUD ~ PAPIERS

LE SOUPER

de Jean-Claude Brisville, créé au théâtre Montparnasse en septembre 1989, avec Claude Brasseur dans le rôle de Fouché et Claude Rich dans le rôle de Talleyrand.

Talleyrand remplit les flûtes à champagne et chacun se saisit de la sienne, en s'observant. Talleyrand lève son verre.

LES PETITS OISEAUX

Tiburce : "Il a dîné hier avec ton père… et tout me porte à croire que ces deux burgraves ont fortement causé avec la veuve Clicquot…"
Léonce : "Qu'est-ce que ça veut dire ?"
Tiburce : "C'est un mot de mon quartier… pour indiquer qu'on n'aime pas la bière…"

EUGÈNE LABICHE

LA POUDRE AUX YEUX

Il s'agit de deux familles qui, cherchant à s'impressionner l'une l'autre, se reçoivent en commandant les meilleures choses.

Le maître d'hôtel : "Quand Madame voudra, c'est tout prêt. Quelle marque préférez-vous pour le champagne?… du Moët ou de la Veuve?"
Madame Ratinois : "De la Veuve?"
Ratinois : "Quelle Veuve?"
Frédéric : "La Veuve Clicquot. C'est le meilleur."
Ratinois : "Et qu'est-ce que vous vendez cela?"
Le maître d'hôtel : "Douze francs… le Moët n'est que de six."

EUGÈNE LABICHE

Le champagne Veuve Clicquot est régulièrement vu, bu ou cité, en France et à l'étranger, dans de très nombreuses pièces de théâtre, dont pour les plus récentes :

LA SAINT-DUPONT, avec Henri Virlojeux, Yvonne Clech et Pierre Tornade.

HERMINIE, avec Dany Saval et Philippe Lemaire.

LÉOCADIA, avec Dany Robin et Georges Marshal.

L'AIDE-MÉMOIRE, avec Nicole Courcel et Michel Auclair.

L'ÉTERNEL MARI, de Dostoïevski.

L'ENTOURLOUPE, avec Michel Galabru.

LES GENS D'EN FACE, avec Françoise Fabian, Marcel Bozzuffi et Geneviève Fontanelle.

DIEU, SHAKESPEARE ET MOI, avec Rufus et Pierre Richard.

GRAND-PÈRE, avec Jean-Pierre Darras.

HAROLD ET MAUD, avec Denise Grey et Corinne Marchand.

Photos prises lors de pièces de théâtre à succès jouées à Paris et à Londres.

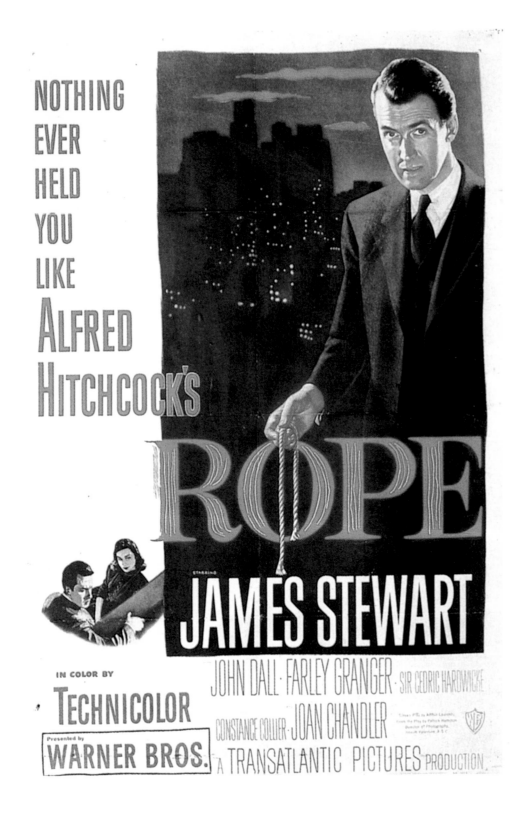

Quantité de réalisateurs de cinéma à travers le monde ont mis en scène le champagne Veuve Clicquot :

LA CORDE
d'Alfred Hitchkock avec James Stewart et Joan Chandler.

LES MANNEQUINS DE PARIS
de André Hunebelle avec Madeleine Robinson et Yvan Desny.
Une jeune femme est engagée comme chanteuse dans une boîte de nuit à Paris. Son compagnon demande pour fêter l'événement :
"Du champagne, s'il vous plaît!
– Lequel Monsieur?
– Le plus gai.
– Du Veuve Clicquot alors!"

MY FAIR LADY
avec Audrey Hepburn et Rex Harrison.

LA ROLLS-ROYCE JAUNE
de Antony Asquith avec Ingrid Bergmann et Omar Sharif.

THE COTTON CLUB
de Francis Ford Coppola avec Richard Gere.

MY BEAUTIFUL LAUNDRETTE
de Steven Frears.

LA DOLCE VITA
de Fellini avec Marcella Mastroianni et Anita Eckberg.

LE FESTIN DE BABETTE
de Gabriel Axel avec Stéphane Audran.

UNE FILLE SUR LA BALANÇOIRE
de Richard Fletcher avec Ray Miland et Joan Collins.

CASABLANCA
de Michael Curtiz avec Ingrid Bergmann et Humphrey Bogart.
Ingrid Bergmann dit à Humphrey Bogart : "Si c'est du Veuve Clicquot, je reste..."

WILD ORCHID
de Zalman King avec Jacqueline Bisset et Mickey Rourke.

AGENT X 27
de Josepgh von Steinberg avec Marlène Dietrich et Eric von Stroheim.

LA CHAMADE
de Alain Cavalier avec Catherine Deneuve et Michel Piccoli.

LE PARRAIN
de Francis Ford Coppola avec Robert de Niro.

L'HÔTEL DE LA PLAGE
de Michel Lang avec Anne Parillaud et Guy Marchand.

LE CHASSEUR DE CHEZ MAXIM'S
de Claude Vital avec Michel Galabru et Daniel Ceccaldi.

THE FABULOUS BAKER BOYS
de Steve Kloves avec Michèle Pfeiffer.

RIO NEGRO
de Atahualpa Lichy avec Marie-José Nat et Nathalie Neil.

CASINO ROYAL
de John Huston avec Peter O'Tool et Peter Seller.

LE CRI DU HIBOU
de Claude Chabrol avec Christophe Malavoy et Mathilda May.

Les grappes et feuilles de vigne qui décorent le pourtour de la niche sont une allusion de plus au champagne.

Il y a quelques années, Veuve Clicquot a acquis ce tableau d'Haberlé (1856-1933), petit chef-d'œuvre de la peinture américaine du XIXe siècle. Ce peintre autodidacte est originaire de New Haven. Assistant en paléontologie à l'université de Yale, on a coutume de dire que c'est à cette science qu'il dut son sens de la précision. Les œuvres d'Haberlé font l'objet de fréquentes expositions à travers tous les Etats-Unis.

A la fin du XIXe siècle, le trompe-l'œil était très populaire aux Etats-Unis. Entre 1887 et 1894, John Haberlé produisit une série de curieuses natures mortes qui firent sa réputation.

Dans la toile intitulée *Wife Wine and Song* (1889), l'art d'Haberlé oscille entre le réel (violon, partition de musique, bouteille de champagne Veuve Clicquot) et l'illusion. Ce tableau est en quelque sorte un piège qui séduit le spectateur tout en lui posant une énigme. Après tout, pourquoi ne pas lire "Wife Wine and Son", puisque l'artiste a délibérément caché le "g" et que, dans le petit médaillon en haut à gauche, on peut voir une femme et un enfant ("son" voulant dire "fils" en anglais). La corde manquante du violon serait-elle le "G" "string"? Cela n'est peut-être après tout qu'une plaisanterie d'artiste, mais on pourrait être enclin à y trouver toute une symbolique quelque peu énigmatique.

Le violon, la bouteille de Veuve Clicquot, le cigare et la photographie d'une femme plantureuse chercherait en effet à symboliser une évidente qualité de vie, fondée sur la jouissance des sens. Mais la flûte est unique, le violon inutilisable, la partition déchirée... Est-ce une sorte d'"adieu à tout ceci", la mélancolie solitaire qui étreint le célibataire au moment de franchir le pas qui le mène de "song" à "son"? Le champagne peut aider à passer un tel moment, et l'étiquette Clicquot apparaît comme un rayon de lumière dans cet espace insolite où se déploient des diagonales inhabituelles...

Le peintre Claude Monet et sa seconde femme, Alice Hoschedé, s'installent à Giverny en 1883. Dans cette maison, tout à la fois "très près de Paris, et au bout du monde", Claude Monet et son épouse attachaient une importance extrême à la qualité de leur environnement, de la nourriture et des vins qui étaient servis : "A eux deux, ils instaurent un certain art de vivre simple, on dirait aujourd'hui un style", dit Claire Joyce dans les *Carnets de Cuisine* de Monet. Le champagne Veuve Clicquot faisait partie de ce style de vie.

"Dans cette maison, qui vit tellement d'habitudes et de saisons bien particulières, le plus beau déjeuner est, comme un peu dans toutes les familles, celui de Noël. On déjeune à midi pour une fois. La salle à manger est une fête, avec ses guirlandes de feuillages et de fleurs simples, ses cristaux et son argenterie sur une nappe des grands jours qui embellit encore le service jaune. (...)
"Lors de ces déjeuners de Noël, on redécouvre cette survivance des temps anciens où un sévère esprit de caste régnait sur la basse-cour, mettant l'oie au plus bas de l'échelle sociale, où l'on fait le plus grand cas du poulet, et où seuls les chapons et les poulardes sont dignes de figurer sur une bonne table. Au menu, pour commencer, des œufs brouillés aux truffes ou de la lotte à l'américaine et selon la tradition, le foie gras truffé en croûte arrivé de Strasbourg précédant les chapons truffés et farcis sur un lit de marrons et de truffes venues du Périgord, servis avec une purée de marrons. Une allègre salade de petites mâches rompt la solennité de ces plats, un gorgonzola ou roquefort suit. Enfin vient cet instant qui, pour les enfants, contient la vraie magie de Noël : Paul ferme les volets et apporte le Christmas pudding autour duquel on a versé généreusement du rhum, il craque une allumette, arrose le pudding et le flambe à la grande joie de tous qui poussent des cris d'admiration; le cristal des carafes de vin et de champagne, souvent du Veuve Clicquot, brille soudain d'un plus grand éclat..."

Détail du Déjeuner sur l'herbe *peint par Claude Monet entre 1865 et 1866 - Paris, Musée d'Orsay.*

Paul POIRET

EN HABILLANT L'EPOQUE

Grasset

En sa qualité de couturier, Paul Poiret fut, pendant la Première Guerre mondiale, un moment affecté au magasin général de l'armée, section des uniformes. Il est cantonné à Epernay lorsque cette aventure lui arrive : "On m'envoyait quelquefois accomplir à Reims des missions grotesques. Comme on ne me donnait rien d'autre à faire, je les considérais comme une distraction. On m'envoya notamment visiter tous les merciers de la grande ville pour voir s'il y restait du fil et des boutons. Je n'avais pas vu Reims depuis les beaux jours. Je fus scandalisé en y arrivant : c'était un tas de gravats où nul être humain ne pouvait circuler; des chats faméliques parcou-raient ce décor désolé. Je fis quelques pas à travers ces ruines où je ne pouvais songer à rechercher des merciers, absolument introuvables. Les Allemands qui m'apercevaient de leurs tanières me firent l'honneur de régler un tir sur ma personne. C'était les premiers obus que j'entendais. Je fus assez désagréablement impressionné. Je me précipitai dans un trou qui conduisait à une galerie et la galerie à un corridor, le corridor à une voûte qui était la cave de la Veuve Clicquot. Je trouvai là quarante bons Français à table parmi les jambons, les bouteilles de champagne et les candélabres. Monsieur Werlé*, le maître de cette maison, qui paraissait être ce jour-là le château de quelque boyard, me fit une place à sa table et me demanda de choisir le vin que je voulais boire. Les tuyaux d'adduction des eaux étaient crevés, les caves inondées; on allait dans une barque à la godille, à travers les foudres et les barriques. Je me promenais comme à Venise au milieu de ces richesses et je voyais défiler devant mon bateau les années les plus réputées de la montagne de Reims (...) A cinq heures du soir, on vint nous dire que le bombardement était fini. Quand je remontai à la surface de la terre, je me trouvai complètement ivre. Je découvris dans mes poches seize bouchons de bouteilles de champagne, les avais-je bues? Heureusement, j'avais une heure de chemin dans une voiture ouverte pour cuver mon malheur. Je rentrai à Epernay et je fis un rapport sur les merciers disparus..."

Il a souvent été dit que Paul Poiret s'était inspiré de la couleur du rosé Veuve Clicquot pour certaines de ses robes. Bien que rien ne permette de le vérifier formellement, il est plausible que cette journée passée dans les caves de la maison lui ait laissé un inoubliable souvenir de cette fameuse couleur rosée...

* Il devait plutôt s'agir de Bertrand de Mun, car Alfred Werlé était décédé avant la guerre, en 1907.

Affiche éditée à l'occasion d'une exposition "Arts de vivre en France" qui eut lieu à Munich de mars à mai 1987. Cette exposition était organisée par le Comité Colbert, dont fait partie la maison Veuve Clicquot. Une des robes que, dit-on, inspira le Clicquot rosé au grand couturier.

RÉFÉRENCES

"Moïse ayant éteint, il ne brûle qu'un cierge
Créant ce clair-obscur qu'aimait Daniel Vierge
Un cierge qu'un Clicquot lancé en l'air asperge
Par un de ces clients que le bon Bœuf héberge
– Pastoral par son nom, mais rien moins qu'une auberge..."

Dédicace de Proust à Serge André sur un exemplaire de Sodome et Gomorrhe, *1922.*

Céleste Albaret, qui fut la domestique de l'écrivain Marcel Proust entre 1914 et 1922, raconte dans *Monsieur Proust* :

"Le seul repas un peu complet que je me rappelle, c'est celui que M. Proust, vers la fin, pour sa Légion d'honneur, offrit à son frère, Robert. Il m'avait fait préparer du melon, un poulet, des gâteaux et des fruits.

"On a raconté qu'il lui arrivait souvent de me demander de faire des frites au milieu de la nuit, pour les servir, avec du cidre, à quelqu'un qu'il avait ramené. C'est arrivé deux ou trois fois, comme pour les envies qu'il a eues lui-même. Mais le cidre était rare.

"Pour ces dîners, il me faisait acheter de bons vins, rouges ou blancs, selon que c'était viande ou poisson, ou les deux.

"En dehors de ces dîners, c'était du champagne – Veuve Clicquot uniquement – ou du porto, avec des petits fours de Rebattet.

"L'important pour moi, c'était que M. Proust, plus encore que l'invité, fût content.

"Il fallait le voir quand on lui avait fait compliment de mon poulet. Il me le disait et il était fier pour moi.

"Revoyant ces choses aujourd'hui comme je ne pouvais pas les voir sur le moment, je me dis que ce qui ressortait de lui, pour ce qui était l'homme et la vie c'était d'un côté, ce goût de la qualité et de la perfection qu'il avait en tout – mais le goût d'une perfection qui était celle de son passé, ainsi que le montrait sa fidélité aux adresses de commerçants. C'est d'autant plus extraordinaire qu'il se soit ainsi attaché à ce passé dans sa vie de tous les jours, quand on pense comme il voyait loin dans ses livres – quand on pense à tout ce qu'il y a mis de perdition, de prophétie de la fin d'un certain monde et d'une certaine société."

"Et, d'ailleurs, les exigences de M. Proust n'étaient pas compliquées. Là comme en tout, il était simple. Il fallait seulement que ce soit parfaitement à son goût. Il était fin gourmet, ou plutôt l'avait été. Je voyais bien que ses envies le prenaient comme des coups de souvenir."
Céleste Albaret.

LE CÔTÉ DE GUERMANTES, ESQUISSE XV :

"Une heure après, servis par deux soldats qui répondaient "oui, maréchal des logis" à chaque ordre de Charles et étaient si intimidés par ma présence qu'ils manquaient plusieurs fois de laisser tomber le plat, nous mangions des perdreaux exquis, cuits avec un soin particulier pour un ami de monsieur le marquis par la cantinière, en buvant du champagne Clicquot."

Menu édité par la maison au début du siècle.

LE CERLE DE LA FOUGÈRE

Les séanc's ont lieu l'jeudi
On répète un' comédi'
Où l'on parl' pas d'adultère
A la Fougère

On rit on s'baise et l'on s'aime
Il ne manque que du Clicquot
Pour être plus joyeux qu' même
La cascad' de Coo.

GUILLAUME APOLLINAIRE
(POÉSIE - 1899)

RÉCIT D'UN CHEMINOT

"... Quant aux visites, on pouvait toujours compter dessus, et je n'avais d'autre ressource qu'aller chez mes collègues de la ligne et encore pas plus d'une fois par mois. Au total l'existence la plus fastidieuse. Je fêtais, je me souviens, le nouvel an avec ma femme. Nous étions à table (...).
En dépit de l'ennui qui me rongeait, nous nous apprêtions à fêter le nouvel an avec une solennité inaccoutumée et attendions minuit avec quelque impatience. C'est que nous avions en réserve deux bouteilles de champagne, du vrai, avec l'étiquette de la Veuve Clicquot; ce trésor, je l'avais gagné dès l'automne lors d'un pari avec le chef de district, un jour où il nous avait invités à un baptême. (...). Nous restions silencieux et regardions tantôt la pendule, tantôt les bouteilles. Lorsque l'aiguille marqua minuit moins cinq, je me mis à déboucher lentement une bouteille..."

ANTON TCHEKHOV
RÉCITS (1887-1892)

LES ENFANTS DU CAPITAINE GRANT

Un requin-marteau est hissé à bord du *Duncan*, le yacht britannique de Lord Glenarvan.
"Bientôt l'énorme poisson fut éventré à coups de hache (...).
Quoi! s'écria Lord Glenarvan, c'est une bouteille que ce requin a dans l'estomac! (...).
Avant d'être visitée intérieurement la bouteille fut examinée à l'extérieur. Elle avait un col effilé, dont le goulot vigoureux portait encore un bout de fil de fer entamé par la rouille; ses parois, très épaisses et capables de supporter une pression de plusieurs atmosphères, trahissaient une origine évidemment champenoise. Avec ces bouteilles-là, les vignerons d'Ay ou d'Epernay cassent des bâtons de chaise, sans qu'elles aient trace de fêlure. Celle-ci avait donc pu supporter impunément les hasards d'une longue pérégrination.
"Une bouteille de la maison Clicquot" dit simplement le major.
Et comme il devait s'y connaître, son affirmation fut acceptée sans conteste."

JULES VERNE
(1868)

*Menu édité par la maison
dans les années 1950.*

CHEZ BIGNON

"Oui, tu dis bien oui, Scholl est vraiment
l'Amadis
De la littérature aimable – mais tandis
Que perdant sa chaleur au soleil d'or volée,
Ce Clicquot rafraîchit dans la glace pilée
Qu'à ses pieds le garçon naguère amoncelait,
Rosette, mon cher cœur, parlait de Monselet."

THÉODORE DE BANVILLE
(1857)

LE KLIKOFSKOÉ

L'écrivain Prosper Mérimée avait été nommé en 1841 inspecteur général des Monuments historiques. Il contribua de tout son pouvoir à la conservation des anciens édifices français. En 1852, la porte Mars, un des plus anciens édifices de Reims, est sur le point de s'écrouler. Il écrit alors à l'un de ses amis, Monsieur Vitet :
"Nous envoyons Labrouste pour faire un devis, étayer s'il le faut et promettre vingt mille francs. D'un autre côté, nous détachons Monsieur le Marquis de Pastoret à Madame Clicquot qui est reine de Reims et qui a mis à la mairie son premier commis. On nous dit que si elle daigne dire un mot l'arc est sauvé. Toute cette affaire se lie à la question d'Orient; la guerre pouvant mettre de très mauvaise humeur Mme Clicquot qui abreuve la Russie. On appelle son vin klikofskoé et on n'en boit pas d'autre."

"Jadis on se battait Anglais contre Français;
Aujourd'hui chacun boit et chacun vit en paix.
Ce secret inconnu qui fait tant de merveilles,
La dame de Boursault l'a mis dans ses bouteilles…"
Improvisation de Louis de Chevigné au cours d'un dîner à Boursault.

LE VIN, C'EST MOI

L'écrivain Charles Monselet fut un soir convié à dîner au château de Boursault, chez Madame Clicquot : "On était vingt, pas plus, autour de la table, mais tous choisis parmi les fins connaisseurs et les propriétaires du pays. C'est dire que rien de ce qui fut versé là n'est comparable à rien. En cette soirée enchantée, mes sens assimilèrent des philtres que je n'ai pas connus depuis.
"Madame Clicquot, par un despotisme concevable, n'admettait que ses champagnes à sa table. "Moi seule, et c'est assez", disait Médée. "L'Etat, c'est moi!" disait Louis XIV. Et Mme Clicquot disait à son tour : "Le Vin, c'est moi." Il n'y avait pas une goutte de vin rouge sur la nappe. C'était à prendre ou à laisser; et comme c'était à prendre! Je pus me croire pendant quelques instants une de ces têtes couronnées dont Mme Clicquot était la fournisseuse exclusive, un de ces grands de la terre, prince, cesarovitch, archiduc, cardinal romain, nabab ou lord-mayor… qui ont fait vœu de ne jamais boire d'autre Champagne que celui de la "Veuve", comme on appelait familièrement cette vénérable et illustrissime dame dans l'univers entier."

Menu édité par la maison dans les années 1930.

"La Bottella de Champagne con Amorcillos" peint par Julián Oñate y Juarez en 1897. Cette peinture fait partie de la collection privée Miraflores de la Présidence de la République du Vénézuela et a été restaurée avec le concours de la maison Veuve Clicquot en 1990.

EUGÈNE ONÉGUINE

"Et veuve Clicquot ou Moët
Le vin béni,
Dans une bouteille frappée, est pour le poète
Sur l'heure à sa table portée.
Il pétille comme les eaux d'Hippocrène;
Le jeu de ses bulles, de sa mousse,
(tel l'indéfinissable)
Me fascinait : pour lui
Il m'arrivait de donner mon ultime obole,
Vous souvenez-vous, amis?
Son flot magique
Engendrait combien de plaisanteries et de rimes,
De discussions et de songes joyeux!"

POUCHKINE
(CHANT IV 1847)

LES ÂMES MORTES

"Quel vin nous a vendu Ponomarinov! S'il consent à tirer de son arrière-boutique, le cabinet particulier comme il l'appelle, une bonne vieille bouteille, alors, mon cher, on peut se croire dans l'empyrée. Il nous a sorti un champagne auprès duquel celui du chef-lieu n'est que du kwass.

"Un certain Clicquot matradavre, comme qui dirait, vois-tu, du double Clicquot. Et encore une bouteille de vin de France! Quel bouquet mon cher! Ah! quelle noce.

"Pendant le dîner j'en ai sablé dix-sept à moi tout seul."

NICOLAS GOGOL
(1840)

*Affiche publicitaire ancienne
faisant partie de la collection
Veuve Clicquot.*

Dessin paru dans le catalogue 1991 du négociant en vins anglais Wine Rack.

Dessins de Brockbank parus dans la revue anglaise Punch *en 1967 et 1969*

OLD MEN FORGET

"Je commandai une pinte impériale de champagne, ce format admirable qui, comme tant de bonnes choses, a disparu du monde, et prit "Alice à travers le miroir" pour me tenir compagnie pendant le dîner. J'écrivis le lendemain dans mon journal : "Comme par enchantement ma mélancolie me quitta et je sus que je ne serai plus malheureux".

"Etait-ce l'humour de Lewis Carroll ou la pétillance de la veuve Clicquot qui m'avait remonté le moral? Ce serait difficile à dire. Je pense qu'il s'agissait d'un mariage des deux."

SIR DUFF COOPER (1953)

MEURTRE AU CHAMPAGNE

"– Alors, fit Kemp, parlons d'hier soir. D'abord, qu'est-ce que c'était que ce champagne?
– Un Veuve Clicquot 1928. Fameux, mais très cher. Monsieur Barton était comme ça. Il aimait le bon vin et la bonne chère. Il demandait toujours ce qu'il y avait de mieux."

AGATHA CHRISTIE (1947)

CASINO ROYAL - JAMES BOND 007

"On les installa dans un coin près de la porte. Bond commanda une bouteille de Veuve Clicquot et des œufs au bacon."

IAN FLEMING (1953)

UN DE NOS CONQUÉRANTS

"On les connaissait bien au restaurant renommé pour sa soupe à la tortue et son "Vieille Veuve", champagne d'un moelleux adouci, d'une grande année, d'un grand âge, rivalisant de maturité avec les meilleurs bourgognes, et aussi capable qu'eux, malgré sa mousse folle, de vous amener à cet état de respect admiratif et d'extase qui est le privilège des vins vénérables, n'est-ce pas? (…).
"Confortablement assis dans un coin, près de la fenêtre grise encadrée de la brume fumeuse de la Cité, ils louangeaient le vin, au masculin pour le verre, au féminin pour la bouteille à l'étiquette de la Veuve. (…) Un tel vin qui nous pénètre et nous ravit pour un instant à la conversation…"

GEORGE MEREDITH (1891)

LES FANFARES PERDUES

L'auteur décrit sa mère :

"… Un personnage. Une Veuve Clicquot." Dans le respect d'une morale rigide, elle a gagné une fortune qui, un temps, a dû être considérable. Elle en était fière. Le commerçant qui réussit venait pour elle tout de suite après N.S. Jésus-Christ. Elle était généreuse."

GEORGES BUIS
(1988)

THE WIDOW.
VI

Madame Clicquot caricaturée en père Noël par la presse anglaise des années 1930.

RÉFÉRENCES

Dans les années 1970, un groupe de peintres du pop'art italien réalisa une série d'œuvres sur le thème de Veuve Clicquot. Ces peintures et collages ont fait l'objet de plusieurs expositions dans plusieurs grandes villes italiennes.

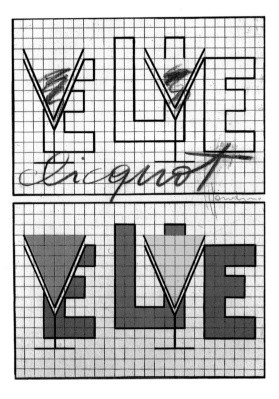

Pozzati et ses collages d'enveloppes, Tacchi pour lequel le champagne Veuve Clicquot rend les hommes rêveurs. Œuvre plus graphique pour Mondino et inspiration du tableau de Léon Cogniet pour Schifano.

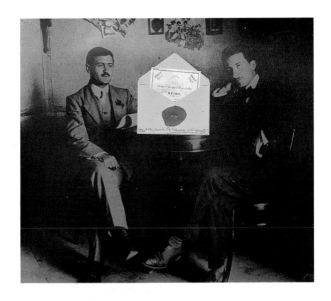

Certains artistes ont d'emblée évoqué ce que représentait pour eux le vin de Champagne Veuve Clicquot. D'autres ont été marqués par la personnalité de Madame Clicquot...

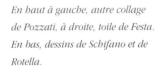

En haut à gauche, autre collage de Pozzati, à droite, toile de Festa. En bas, dessins de Schifano et de Rotella.

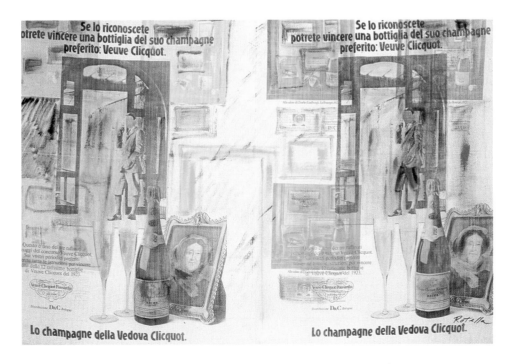

BIBLIOGRAPHIE

ARCHIVES DE LA MAISON VEUVE CLICQUOT

complétées par :

L'Education d'un jeune bourgeois de Reims sous la Révolution, lettres de Philippe Clicquot à son fils,
réunies par Bertrand de Vogüé (mars 1942).

Lettres de Madame Clicquot se trouvant à la bibliothèque Carnegie à Reims.

Madame Clicquot, de Victor Fiévet, Dentu Libraire-Editeur à Paris (1865).

Madame Veuve Clicquot, sa vie, son temps, de la princesse Jean de Caraman-Chimay, imprimé chez Debar à Reims (1956).

La Descendance de Madame Clicquot Ponsardin, de Diane de Maynard, Joseph Floch, imprimeur éditeur en Mayenne (1975).

Souvenirs personnels, de Madame Maldan, née Clémence d'Anglemont de Tassigny, document dactylographié (non daté).

La Duchesse d'Uzès, de Patrick de Gmeline, Librairie Académique Perrin (1986).

Le Village de Boursault, plaquette éditée par la mairie de Boursault en 1988.

Léon Cogniet, plaquette réalisée par le musée des Beaux-Arts d'Orléans à l'occasion de l'exposition des œuvres du peintre,
qui eut lieu du 14 juin au 10 septembre 1990.

Le Baron Ponsardin, plaquette rédigée par Georges Lallemand et éditée par la Société des Amis du Vieux Reims
avec le concours de la chambre de commerce de Reims (1952).

L'Hôtel Ponsardin, plaquette rédigée par Raymond Fleury et éditée par la Société des Amis du Vieux Reims
avec le concours de la chambre de commerce de Reims (1967).

L'Hôtel Le Vergeur, plaquette rédigée par Maurice Hollande et éditée par la Société des Amis du Vieux Reims
avec le concours de la chambre de commerce de Reims (non datée).

Etude sur Clicquot-Blervache, de Jules de Vroil, Librairie de Guillaumin à Paris (1870).

Edouard Werlé, plaquette rédigée par Georges Lallemand et éditée par la Société des Amis du Vieux Reims
avec le concours de la chambre de commerce de Reims (1953).

A History of Champagne, de Henry Vizetelly, édité à compte d'auteur en 1882 et réédité en 1980 par Andrew Low Fine Wines, Londres.

Les Grandes Usines, de Turgan, chapitre rédigé par l'ingénieur Flavien, Paris (1892).

Plusieurs numéros de *La Champagne Economique,* parus dans les années 1950 et 1960.

Le Livre d'or du champagne, de François Bonal, Editions du Grand-Pont (1984).

En habillant l'époque, de Paul Poiret, éditions Grasset (1986).

Les Carnets de cuisine de Monet, de Claire Joyes, photographies de Jean-Bernard Naudin, Editions du Chêne (1989).

Proust, la cuisine retrouvée, d'Anne Borel et Alain Senderens, photographies de Jean-Bernard Naudin, Editions du Chêne (1991).

REMERCIEMENTS

Mes remerciements vont, en premier lieu, à Monsieur Joseph Henriot, président-directeur général
de la maison Veuve Clicquot, qui, dès l'origine et tout au long de la réalisation de ce livre, a fait preuve d'un grand
enthousiasme. Je tiens également à lui faire part de ma reconnaissance pour l'indépendance et la confiance
dont j'ai bénéficié pour la rédaction de cet ouvrage puisqu'il m'a été permis d'accéder
à toutes les archives de la maison avec une liberté totale.

Je remercie également l'ensemble du personnel : deux années durant, j'ai, dans tous les services, caves, vignoble,
bureaux, et par tous, été accueillie et aidée dans mes recherches avec cette gentillesse et cette efficacité
qui caractérisent l'"esprit Clicquot" régnant dans cette merveilleuse maison.

Ne pouvant citer toutes les personnes qui m'ont assistée, alors qu'il m'aurait plu de le faire,
je tiens à remercier plus particulièrement celles qui ont eu une action décisive sur l'existence de ce livre :
David Cobbold, directeur commercial pour la France, qui est à l'origine de l'idée,
Laura de Cormis, directrice de la communication, et Patrick Baseden, directeur commercial
et du développement, pour leur soutien permanent,
Roselyne de Castéjà, attachée aux relations extérieures, pour son aide logistique,
et enfin Françoise Thibault, secrétaire de direction, pour son infinie patience et sa disponibilité.
Merci aussi à Henri Grandcolas pour sa complicité et son talent de relecteur.

CRÉDITS PHOTOGRAPHIQUES

Couverture, pp. 8 et 39 : collection du château de Brissac (Maine-et-Loire)
pp. 10, 119 et 148 : illustrations de Gérald Quinsat
pp. 18 et 19 : collection de la chambre de commerce de Reims
pp. 23, 38 et 67 : dessins de Drian, extraits de l'ouvrage *Madame Veuve Clicquot, sa vie, son temps*,
de la princesse Jean de Caraman-Chimay
pp. 24, 28 et 37 : collection privée
p. 29 : collection de la famille ducale d'Uzès
pp. 33, 46, 92, 102, 112 et 115 : dessins extraits de l'ouvrage *Les Grandes Usines*, de Turgan
p. 38 : collection du musée d'Orléans
pp. 45 et 48 : collection de la bibliothèque municipale de Reims
p. 50 : collection de la Société des Amis du Vieux Reims
pp. 78 et 95 : photos de Jean-Bernard Naudin
p. 113 : dessin extrait du livre de Henry Vizetelly *A History of Champagne*
pp. 170 et 171 : photos de Jean-Bernard Naudin extraites du livre
Les Carnets de cuisine de Monet (Éditions du Chêne)
p. 174 et 175 : photos de Jean-Bernard Naudin extraites du livre
Proust, la cuisine retrouvée (Éditions du Chêne)
p. 182 : dessin extrait du catalogue Wine Rack, dessiné et produit par Nucleus Design Ltd
pp. 13, 14, 15, 40, 42, 47, 49, 54, 63, 82, 87, 91, 93, 99, 104, 105, 107, 108, 109,
116, 117, 120, 124, 127, 128, 154, 155, 156, 157, 158, 159, 161, 164, 165, 168, 169,
176, 177, 178, 179, 180, 181, 182, 183, 184 et 185 : DR